BERLIN

EN QUELQUES JOURS

Andrea Schulte-Peevers

Dans ce guide

L'essentiel

Pour aller droit au but et découvrir la ville en un clin d'œil.

Les basiques
À savoir avant de partir

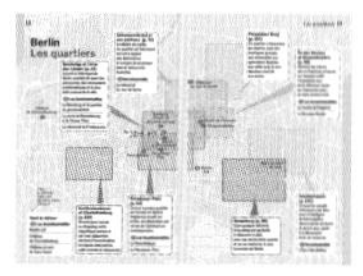

Les quartiers
Se repérer

Explorer Berlin

Sites et adresses quartier par quartier.

Les incontournables
Pour tirer le meilleur parti de votre visite

100% berlinois
Vivre comme un habitant

Berlin selon ses envies

Les meilleures choses à voir, à faire, à tester...

Les plus belles balades
Découvrir la ville à pied

Envie de...
Le meilleur de Berlin

Carnet pratique

Trucs et astuces pour réussir votre séjour.

Hébergement
Une sélection d'hôtels

Transports et infos pratiques

L'essentiel

Bienvenue à Berlin

Berlin est une épicurienne qui se délecte passionnément du festin de la vie. Une énergie contagieuse irrigue ses cafés, bars, clubs et cabarets. Vous ne saurez plus où donner de la tête, entre boutiques indépendantes et restaurants innovants d'un côté, prestigieux musées et fascinants monuments imprégnés d'histoire de l'autre. Que vous visitiez les sites incontournables ou déambuliez au hasard des rues, Berlin vous offrira un séjour mémorable et passionnant.

Le bâtiment du Reichstag, coiffé de sa coupole en verre (p. 24)

Berlin Les incontournables

Le Reichstag et le quartier du gouvernement (p. 24)

La vue est spectaculaire depuis l'étincelant dôme de verre surmontant le Reichstag, siège de la chambre basse du parlement allemand et centre névralgique du quartier du gouvernement depuis la réunification.

La porte de Brandebourg et la Pariser Platz (p. 26)

Cette porte de style néoclassique, autrefois confinée à l'est du mur de Berlin est aujourd'hui le symbole de l'Allemagne réunifiée et sert de décor aux célébrations du Nouvel An et à de grands événements.

Le mémorial de l'Holocauste (p. 28)

Avec ce vaste labyrinthe de stèles en béton disposées sur un sol ondulant, Peter Eisenman rend un hommage poignant aux Juifs d'Europe victimes du génocide nazi.

PAOLO CORDELLI/LONELY PLANET IMAGES ©

DAVID PEEVERS/LONELY PLANET IMAGES ©

Le Nouveau Musée (p. 46)

La reine d'Égypte Néfertiti est la plus célèbre pensionnaire de ce remarquable musée, restauré par David Chipperfield, qui abrite également une pléthore d'objets datant de la Préhistoire.

Le musée de Pergame (p. 42)

Marchez sur les traces des Grecs, des Romains et des autres peuples de l'Antiquité dans ce musée qui présente leur architecture monumentale, témoin de leur génie protéiforme.

PAOLO CORDELLI/LONELY PLANET IMAGES ©

IAIN MASTERTON/ALAMY ©

La Pinacothèque (p. 56)

Ici, on croise Rembrandt et le Caravage. Mais aussi Botticelli, Rubens, Vermeer – et ça ne s'arrête pas là ! La contemplation des chefs-d'œuvre des maîtres de la peinture européenne vous comblera.

10 Les incontournables

La Potsdamer Platz (p. 60)

Ce quartier, qui fut dans les années 1920 l'équivalent berlinois de Times Square, puis un no man's land après guerre, a été reconstruit suite à la réunification et constitue une sorte de musée en plein air d'architecture contemporaine.

Le Musée juif (p. 68)

L'histoire vieille de 2 000 ans de la présence des Juifs en Allemagne est passionnante. Mais le langage métaphorique émouvant de l'extraordinaire bâtiment du musée revêtu de zinc, conçu par Daniel Libeskind, est également fascinant.

Le mémorial du mur de Berlin (p. 74)

Ironie de l'histoire, le site touristique majeur de Berlin a quasi totalement disparu. Pour percer les mystères du Mur, intégrez à votre emploi du temps une visite de ce mémorial (à la fois couvert et en plein air).

JOHN FREEMAN/LONELY PLANET IMAGES ©

L'East Side Gallery
(p. 102)

Sur le plus long tronçon du Mur encore debout, une centaine d'artistes du monde entier ont exprimé les sentiments que leur a inspirés la chute du Mur à travers des peintures percutantes.

THOMAS WINZ/LONELY PLANET IMAGES ©

Le château de Charlottenburg
(p. 134)

La famille royale prussienne savait assurément mener grand train, comme vous le constaterez en visitant les pièces à la décoration extravagante de ce palais grandiose, bordé de luxuriants jardins paysagers.

MICHAEL TAYLOR/LONELY PLANET IMAGES ©

Le château et le parc de Sans-Souci
(p. 138)

Il est presque impossible de ne pas tomber sous le charme de cet ensemble architectural plein de recoins conçu par le roi de Prusse Frédéric II le Grand et situé à Potsdam, à seulement un court trajet de train de Berlin.

100% berlinois
Vivre comme un habitant

Conseils d'initiés pour découvrir le vrai Berlin

Après avoir visité les sites incontournables de Berlin, voici quelques conseils pour découvrir d'autres aspects de la capitale allemande. Rues commerçantes éclectiques, zones résidentielles attrayantes, quartiers caméléons, lieux festifs débridés et même une "antidote-à-l'ennui-du-dimanche" sont autant de caractéristiques qui composent le Berlin des Berlinois.

Un après-midi dans le Bergmannkiez (p. 70)

▸ Marché alimentaire
▸ Boutiques éclectiques

Coupant en deux la partie ouest de Kreuzberg – la plus calme et la plus bourgeoise –, la Bergmannstrasse est une rue pittoresque bordée de cafés et de boutiques qui débouche sur un superbe marché couvert. Détendez-vous sur la colline arborée qui a donné son nom à Kreuzberg, puis rendez hommage au courage des Berlinois au mémorial du pont aérien.

Déambuler dans Neukölln (p. 98)

▸ Marché alimentaire animé
▸ Bars décontractés

Le nouveau quartier branché de Berlin est un métamorphe, un animal vif et bouillonnant qui se nourrit de diversité et de créativité. Son exploration vous réservera à coup sûr des surprises. Plutôt que de vous indiquer un itinéraire précis, nous vous conseillons de suivre votre instinct : vos découvertes n'en seront que plus savoureuses.

Le dimanche au Mauerpark (p. 112)

▸ Fabuleux marché aux puces
▸ L'art du café

On ne peut qu'être d'accord avec les dizaines de milliers de Berlinois et de touristes au sujet du Mauerpark : il n'existe pas de meilleur endroit où passer le dimanche, surtout lorsqu'il est ensoleillé. Marché aux puces fabuleux, karaoké en plein air fantastique, barbecues, groupes de musique, le tout dans un endroit autrefois divisé par le Mur – que demander de plus ?

Les multiples visages de Schöneberg (p. 132)

▸ Marché de producteurs
▸ Petites boutiques

Souvent éclipsé par le Kurfürstendamm à l'ouest et Kreuzberg à l'est, Schöneberg mérite aussi votre attention. Bien qu'en grande partie résidentiel, c'est un quartier agréablement éclectique

GUY MOBERLY/LONELY PLANET IMAGES ©

Épicerie sur la Bergmanstrasse, Kreuzberg

où costumes gris côtoient gays fêtards, anciens hippies et immigrés turcs. Les terrasses des cafés sont idéales pour regarder passer les gens.

La tournée des bars de Kotti (p. 88)

- Bars divers et variés
- Fast-foods revigorants

Il suffit d'une fraction de seconde pour comprendre que Berlin ne manque pas de bars. Selon nous, le secteur bétonné mais animé autour de la station d'U-Bahn Kottbusser Tor compte certains des meilleurs établissements de la ville (situés à deux pas les uns des autres). Que vous soyez bière ou cocktail, vous trouverez votre bonheur.

Marché aux puces de Mauerpark

DAVID PEEVERS/LONELY PLANET IMAGES ©

Autres lieux pour vivre le Berlin des Berlinois

Rosenthaler Platz : le paradis du snack (p. 82)

La très branchée Torstrasse (p. 84)

Tous à bord du Badeschiff (p. 97)

Glace de rêve (p. 108)

Les cafés de la Knaackstrasse (p. 116)

La "petite Asie" de Berlin (p. 129)

Shopping jusqu'à plus soif sur le Ku'damm (p. 131)

Berlin En 4 jours

1er jour

À Berlin pour un seul jour ? En suivant cet itinéraire express, vous pourrez vous vanter d'avoir vu les sites majeurs de la capitale. Tôt le matin, empruntez l'ascenseur (réservation nécessaire) qui mène au dôme du **Reichstag** (p. 24), puis passez prendre une photo de la **porte de Brandebourg** (p. 26) avant de partir explorer le labyrinthe du **mémorial de l'Holocauste** (p. 28) et admirer l'architecture de la **Potsdamer Platz** (p. 60). Méditez sur les horreurs du régime nazi à la **Topographie de la terreur** (p. 63) et sur la folie de la guerre froide à **Checkpoint Charlie** (p. 63).

Faites un peu de shopping dans les **Friedrichstadtpassagen** (p. 39) avant de déjeuner à l'**Augustiner am Gendarmenmarkt** (p. 36). Offrez-vous des chocolats chez **Fassbender & Rausch** (p. 39), puis cheminez jusqu'à l'île des Musées via la place du **Gendarmenmarkt** (p. 32). Comptez au moins une heure pour les trésors antiques du **musée de Pergame** (p. 42), puis allez flâner dans le Scheunenviertel, en vous accordant une pause café au **Barcomi's Deli** (p. 82).

Pour le dîner, optez pour l'excellente cuisine de **Hartweizen** (p. 80) ou pour les spécialités vietnamiennes de **Chén Chè** (p. 80), et terminez par un verre au **Neue Odessa Bar** (p. 83).

2e jour

Démarrez la journée par une visite du **mémorial du mur de Berlin** (p. 74) pour comprendre comment était la vie à Berlin lorsque le Mur divisait la ville. Puis rendez-vous à la station d'U-/S-Bahn Warschauer Strasse pour observer les peintures colorées ornant l'**East Side Gallery** (p. 102), un authentique tronçon du Mur long de 1,3 km.

Reprenez le S-Bahn jusqu'à Alexanderplatz et choisissez entre un déjeuner copieux au **Zur Letzten Instanz** (p. 52) ou un repas équilibré au **Dolores** (p. 81). Commencez l'après-midi par le **musée de la RDA** (p. 49) pour avoir un aperçu de la vie quotidienne à l'est du "rideau de fer", puis laissez décanter vos impressions lors d'une **croisière sur la rivière** (p. 50) d'une heure autour de l'île des Musées. Ensuite, rendez visite à la reine Néfertiti au **Nouveau Musée** (p. 46), superbement restauré, et faites éventuellement un tour à la **Humboldt-Box** (p. 49) voisine pour en savoir plus sur la reconstruction du palais royal prussien prévue sur ce site.

Détendez-vous autour d'un mémorable repas végétarien au **Cookies Cream** (p. 36) ou voyagez dans les Années folles au cosy **Chamäleon Varieté** (p. 84).

Votre temps vous est compté ?
Nous avons concocté pour vous des itinéraires détaillés qui vous permettront d'optimiser le peu de temps dont vous disposez.

3e jour

Commencez par une visite du **château de Charlottenburg** (p. 134) : ne manquez pas la Nouvelle Aile (Neuer Flügel) ni le merveilleux parc. Prenez le U2 de Sophie-Charlotte-Platz à Zoologischer Garten, réfléchissez à l'absurdité de la guerre dans l'**église du Souvenir** (p. 126) et – si ce n'est pas un dimanche – assouvissez vos envies de shopping le long du Kurfürstendamm. Terminez par le **KaDeWe** (p. 131) et son rayon alimentation appétissant.

Passez une partie de l'après-midi à vous imprégner de l'ambiance bohème du quartier de **Schöneberg** (p. 132) : écumez les boutiques, très éclectiques, et faites une pause-café au **Double Eye** (p. 133). Prenez le U7 de Kleistpark à Kottbusser Tor, puis marchez vers le sud jusqu'au canal et regardez les bateaux glisser sur l'eau en sirotant une bière à l'**Ankerklause** (p. 96).

Pour dîner, le **Defne** (p. 92) sert une cuisine turque haut de gamme, le restaurant étoilé **Horváth** (p. 92) propose des délices autrichiens et le **Café Jacques** (p. 99) cuisine d'exquis plats franco-méditerranéens. Poursuivez la soirée en faisant la tournée des bars autour de **Kottbusser Tor** (p. 88) ou, s'il fait beau, en vous rendant au **Club der Visionäre** (p. 94).

4e jour

Localisez les monuments que vous avez visités les trois premiers jours depuis la plate-forme d'observation du **Panoramapunkt** (p. 61), qui se situe sur la Potsdamer Platz, avant de vous rendre à la **Pinacothèque** (p. 56), un immense musée recélant cinq siècles de tableaux signés des plus grands maîtres européens – de Dürer à Rembrandt en passant par Botticelli.

Après avoir déjeuné au **Qiu** (p. 66), prenez le U2 jusqu'à Eberswalder Strasse pour une balade dans le quartier bobo et pimpant de Prenzlauer Berg. Regardez les boutiques et les façades ornementées des immeubles bordant la **Kollwitzplatz** (p. 116) avant une pause sucrée au **Kaffee Pakolat** (p. 119). Si vous n'avez pas eu votre dose de shopping, les magasins alternatifs et les boutiques de créateurs de la Kastanienallee et de l'Oderberger Strasse vous combleront.

Profitez de la soirée en dégustant une bière Pilsner bien fraîche sous les marronniers du **Prater** (p. 118), le plus ancien *Biergarten* de Berlin. Mangez une saucisse sur place ou allez déguster un vrai repas allemand à l'**Oderquelle** (p. 117), juste à côté, avant de vous rendre à la **Kulturbrauerei** (p. 120) pour assister à un concert ou une pièce de théâtre, aller danser ou regarder un film.

Les basiques

Reportez-vous au Carnet pratique (p. 173) pour plus d'informations

Monnaie
Euro (€)

Langue
Allemand (anglais couramment parlé)

Formalités
Pour les citoyens de l'Union européenne, une carte d'identité en cours de validité suffit. Les Canadiens et les Suisses devront, pour leur part, être munis d'un passeport en cours de validité.

Argent
Les DAB sont répandus. À Berlin, les espèces sont reines ; les cartes de crédit ne sont pas fréquemment utilisées.

Téléphone mobile
Les mobiles allemands fonctionnent via le réseau GSM 900/1800 compatible avec le reste de l'Europe mais pas avec le système nord-américain, à moins de posséder un téléphone multibande GSM.

Heure locale
Heure d'Europe centrale (GMT + 1h en hiver ; + 2h en été). Même fuseau horaire que la France, la Belgique et la Suisse. Lorsqu'il est 12h à Paris, il est 6h à Montréal.

Prises et adaptateurs
Prises à deux trous fonctionnant en 220 V/ 50 Hz. Les Canadiens se muniront d'un adaptateur.

Pourboires
Serveurs 10%, barmans 5%, chauffeurs de taxi 10%, porteurs 1 à 2 € par bagage.

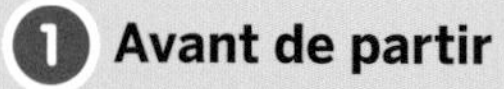

1 Avant de partir

Budget quotidien

Moins de 50 €
- Dortoirs 10-20 €
- Se faire à manger ou fréquenter les fast-foods

De 50 à 150 €
- Chambre double 80-120 €
- Dîner vin compris 30 €
- Entrée dans un club 10-15 €

Plus de 150 €
- Chambre double dans un 4-étoiles 150-200 €
- Dîner + vin dans un grand restaurant 200 €
- Places à l'orchestre à l'opéra 120 €

Sites Web

Lonely Planet (www.lonelyplanet.fr). Renseignements sur Berlin, forum de voyageurs, etc.

Visit Berlin (www.visitberlin.de/fr). Site de l'office du tourisme (en français).

Berlin.de (www.berlin.de). Site officiel de la mairie de Berlin (en français).

Berlin Poche (www.berlinpoche.de). Guide culturel francophone (1 €).

À prévoir

Deux ou trois mois avant Réservez des billets pour la Philharmonie, l'opéra national Unter den Linden, la collection Boros et les événements prestigieux.

Un mois avant Réservez en ligne vos visites pour le dôme du Reichstag, le Nouveau Musée et le musée de Pergame.

Une semaine avant le départ Réservez une table dans les restaurants étoilés, surtout pour les vendredi ou samedi soir.

2 Arriver à Berlin

Les arrivées en avion à Berlin changeront en 2013 avec l'ouverture de l'aéroport de Berlin-Brandenburg, qui remplacera à terme ceux de Tegel et de Schönefeld (dont le nouvel aéroport reprend une des pistes). Si vous arrivez en train, la Hauptbahnhof est la gare centrale.

De l'aéroport de Tegel

Destination	Meilleurs moyens de transport
Alexanderplatz	Bus express TXL
Kurfürstendamm	Bus express X9 ou bus 109
Kreuzberg – Kottbusser Tor	X9/109 jusqu'à Ernst-Reuter-Platz, puis U8
Porte de Brandebourg	Bus express TXL

De l'aéroport de Schönefeld

Destination	Meilleurs moyens de transport
Alexanderplatz	Train Airport-Express (RB14 ou RE7)
Kurfürstendamm	Train Airport-Express (RB14 ou RE7)
Kreuzberg – Kottbusser Tor	Train Airport-Express jusqu'à Alexanderplatz, puis U8
Porte de Brandebourg	Train Airport-Express jusqu'à Alexanderplatz, puis bus TXL ou 100

De l'aéroport de Berlin-Brandenburg (à partir de 2013)

Les trains Airport-Express (RB14, RE7 et RE9) devraient partir pour le centre de Berlin toutes les 15 minutes depuis la gare de l'aéroport. Pour connaître les dernières informations, consultez le site www.berlin-airport.de.

Depuis la Hauptbahnhof

La gare centrale de Berlin est desservie par des bus ainsi que des S-Bahn et U-Bahn.

Comment circuler

Berlin possède un réseau de transports en commun vaste et efficace comprenant le U-Bahn (métro aérien et souterrain), le S-Bahn (rappelle le RER parisien), les bus et les tramways. Un ticket est valable pour tous les types de transports. Pour les itinéraires, consultez le site www.bvg.de.

U-Bahn

Le meilleur moyen de circuler à Berlin est le U-Bahn, qui fonctionne de 4h à environ 0h30, et toute la nuit les vendredi, samedi et jours fériés (à l'exception des lignes U4 et U55).

S-Bahn

Avec ses arrêts plus espacés que ceux du U-Bahn, le S-Bahn est plus pratique pour les longues distances, mais il circule moins fréquemment. Circule de 4h à environ 0h30.

Bus

Les bus sont plus lents mais ils permettent d'admirer la ville. La plupart d'entre eux circulent fréquemment entre 4h30 et 0h30. Du dimanche au jeudi, les bus de nuit prennent la relève toutes les 30 min. Les MetroBus (M11, M19) circulent 24h/24 et 7j/7.

Tramway

Les trams ne circulent que dans les quartiers est. Ceux commençant par la lettre M (M1, M2, etc.) circulent 24h/24 et 7j/7.

Vélo

Idéal pour explorer la ville, le vélo est populaire à Berlin, qui compte plus de 150 km de pistes cyclables. Des rames de U-Bahn et de S-Bahn sont prévues pour embarquer les vélos. Les agences de location sont légion.

Taxi

Les taxis sont bon marché et pratiques le soir, lorsque les transports en commun sont moins fréquents. En journée, la densité de la circulation les rend moins efficaces.

Berlin Les quartiers

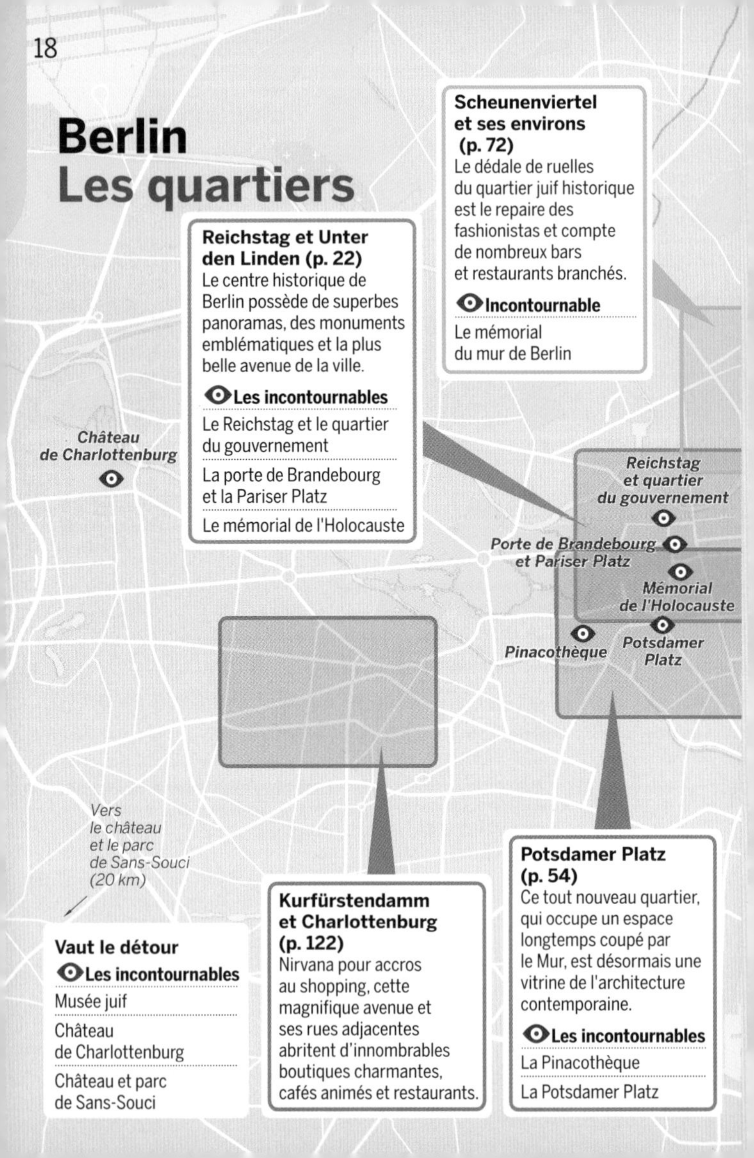

Reichstag et Unter den Linden (p. 22)

Le centre historique de Berlin possède de superbes panoramas, des monuments emblématiques et la plus belle avenue de la ville.

Les incontournables

- Le Reichstag et le quartier du gouvernement
- La porte de Brandebourg et la Pariser Platz
- Le mémorial de l'Holocauste

Scheunenviertel et ses environs (p. 72)

Le dédale de ruelles du quartier juif historique est le repaire des fashionistas et compte de nombreux bars et restaurants branchés.

Incontournable

- Le mémorial du mur de Berlin

Kurfürstendamm et Charlottenburg (p. 122)

Nirvana pour accros au shopping, cette magnifique avenue et ses rues adjacentes abritent d'innombrables boutiques charmantes, cafés animés et restaurants.

Potsdamer Platz (p. 54)

Ce tout nouveau quartier, qui occupe un espace longtemps coupé par le Mur, est désormais une vitrine de l'architecture contemporaine.

Les incontournables

- La Pinacothèque
- La Potsdamer Platz

Vaut le détour

Les incontournables

- Musée juif
- Château de Charlottenburg
- Château et parc de Sans-Souci

Château de Charlottenburg

Reichstag et quartier du gouvernement

Porte de Brandebourg et Pariser Platz

Mémorial de l'Holocauste

Pinacothèque

Potsdamer Platz

Vers le château et le parc de Sans-Souci (20 km)

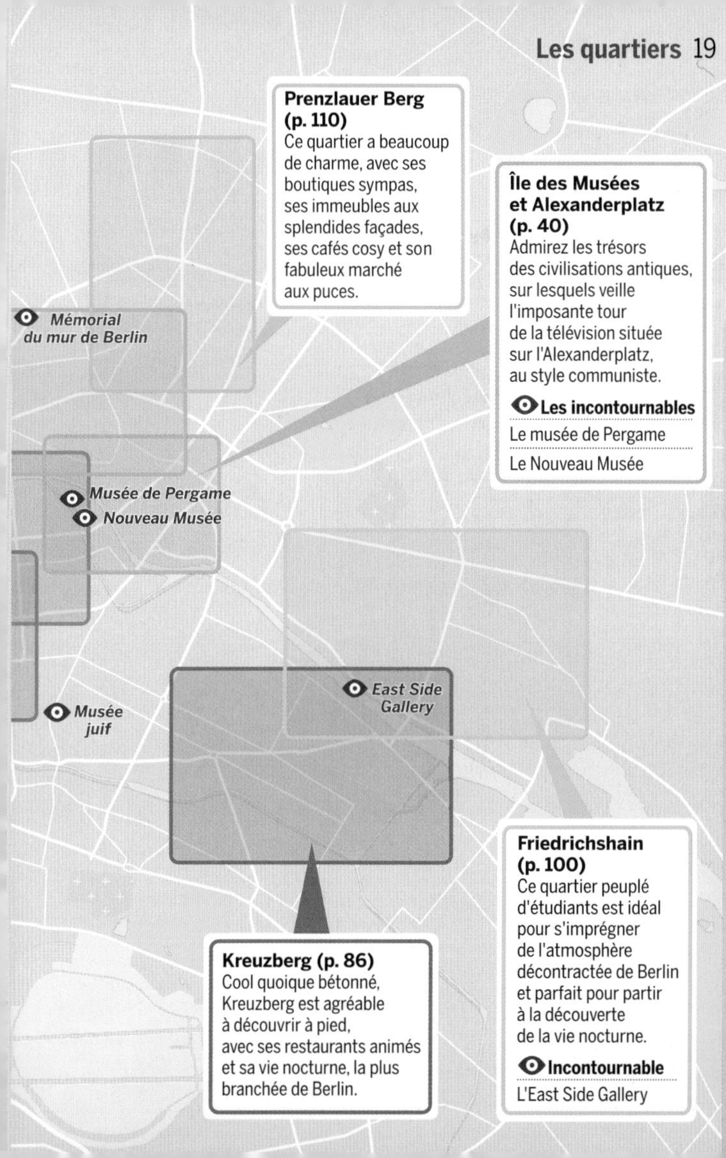

Prenzlauer Berg (p. 110)
Ce quartier a beaucoup de charme, avec ses boutiques sympas, ses immeubles aux splendides façades, ses cafés cosy et son fabuleux marché aux puces.

Île des Musées et Alexanderplatz (p. 40)
Admirez les trésors des civilisations antiques, sur lesquels veille l'imposante tour de la télévision située sur l'Alexanderplatz, au style communiste.

Les incontournables

Le musée de Pergame

Le Nouveau Musée

Mémorial du mur de Berlin

Musée de Pergame

Nouveau Musée

East Side Gallery

Musée juif

Kreuzberg (p. 86)
Cool quoique bétonné, Kreuzberg est agréable à découvrir à pied, avec ses restaurants animés et sa vie nocturne, la plus branchée de Berlin.

Friedrichshain (p. 100)
Ce quartier peuplé d'étudiants est idéal pour s'imprégner de l'atmosphère décontractée de Berlin et parfait pour partir à la découverte de la vie nocturne.

Incontournable

L'East Side Gallery

Explorer Berlin

Vaut le détour

Porte de Brandebourg, surmontée du *Quadrige* (p. 26)
DAVID PEEVERS/LONELY PLANET IMAGES ©

Explorer

Reichstag et Unter den Linden

Le Reichstag – qui fut incendié, bombardé, entièrement restauré, défié par le Mur, emballé dans un tissu argenté et, pour finir, orné d'un dôme de verre – est l'un des édifices les plus emblématiques de Berlin et le siège du parlement allemand (Bundestag). À proximité se dresse la porte de Brandebourg, au pied de laquelle s'étire Unter den Linden, la plus belle avenue de la capitale, qui exhibe avec fierté ses charmes prussiens.

L'essentiel en un jour

Prenez l'ascenseur de bonne heure (réservation obligatoire) jusqu'au dôme du **Reichstag** (p. 24) et admirez le panorama depuis la passerelle en spirale. De retour sur la terre ferme, faites quelques pas vers le sud jusqu'à la **porte de Brandebourg** (p. 26), puis perdez-vous dans le troublant labyrinthe du **mémorial de l'Holocauste** (p. 28). Réfléchissez aux causes d'une telle horreur sur le site du **bunker d'Hitler** (p. 33). Pour vous remettre, allez faire un peu de shopping aux **Friedrichstadtpassagen** (p. 39), puis déjeunez à l'**Augustiner am Gendarmenmarkt** (p. 36).

Offrez-vous des chocolats chez **Fassbender & Rausch** (p. 39), imprégnez-vous de l'architecture de la place du **Gendarmenmarkt** (photo ci-contre ; p. 32), puis longez la Friedrichstrasse jusqu'à Unter den Linden. Tournez vers l'est et continuez en admirant les splendeurs de l'époque prussienne jusqu'au **musée de l'Histoire allemande** (p. 32) pour une immersion dans l'histoire du pays. S'il vous reste du temps et des forces, terminez l'après-midi par une visite du **Tränenpalast** (p. 32).

Après le déjeuner carné à l'Augustiner, compensez par un délicieux dîner végétarien au **Cookies Cream** (p. 36). Si c'est un mardi ou un jeudi, descendez pour vous déhancher sur la piste du **Cookies** (p. 37) ; sinon rendez-vous au **Bebel Bar** (p. 37) ou au **Tausend** (p. 37) pour un dernier verre.

Les incontournables

Le Reichstag et le quartier du gouvernement (p. 24)

La porte de Brandebourg et la Pariser Platz (p. 26)

Le mémorial de l'Holocauste (p. 28)

Le meilleur du quartier

Restaurants

Borchardt (p. 36)

Fischers Fritz (p. 35)

Uma (p. 35)

Cookies Cream (p. 36)

Bars

Bebel Bar (p. 37)

Tausend (p. 37)

Comment y aller

Bus Le bus n°100 et le TXL relient le Reichstag et Unter den Linden.

S-Bahn Les S1 et S2 s'arrêtent à la station Brandenburger Tor.

U-Bahn Le U55 s'arrête aux stations Bundestag et Brandenburger Tor.

Les incontournables
Reichstag et quartier du gouvernement

Le quartier du gouvernement, cœur du pouvoir politique allemand, est blotti dans le Spreebogen, un méandre de la Spree en forme de fer à cheval. Il s'est développé autour de l'historique Reichstag, coiffé d'un dôme de verre, autrefois bordé par le Mur sur sa façade est et désormais intégré au Band des Bundes ("ruban fédéral"), ensemble de constructions en verre et en béton joignant symboliquement les deux anciennes moitiés de la ville au-dessus de la Spree.
Au nord de la rivière trône la Hauptbahnhof (gare centrale), couverte de panneaux solaires.

Plan p. 30, C2

www.bundestag.de

Platz der Republik 1

gratuit

8h-24h, dernière admission 23h

U-Bahn Bundestag, Brandenburger Tor ; 100

À ne pas manquer

Bâtiment du Reichstag

Les quatre tours angulaires et l'imposante façade portant la dédicace en lettres de bronze *Dem Deutschen Volke* ("Au peuple allemand" ; ajoutée en 1916) sont les seuls éléments provenant du Reichstag de 1894. Sir Norman Foster – l'architecte qui restaura le bâtiment après la réunification – n'en conserva que la structure historique, lui adjoignant notamment une étincelante coupole de verre, le symbole du nouveau Berlin.

Coupole du Reichstag

Celui qui a dit que les meilleures choses de la vie étaient gratuites devait penser au toit-terrasse du Reichstag. Profitez de la vue époustouflante qu'il offre, puis munissez-vous d'un audioguide (gratuit) pour en savoir plus sur le bâtiment, les monuments de Berlin et le fonctionnement du Bundestag tout en parcourant la passerelle qui s'enroule autour de la colonne centrale tapissée de miroirs.

Chancellerie

Le chancelier ou la chancelière de l'Allemagne a son bureau dans la chancellerie fédérale en forme de "H" conçue par Axel Schultes et Charlotte Frank. Pour voir les ouvertures circulaires qui ont valu à l'édifice son surnom de "machine à laver", rendez-vous sur le pont Moltkebrücke ou sur la promenade de la rive nord de la Spree. Une sculpture en acier rouillé d'Eduardo Chillida, *Berlin*, orne le parvis.

Maison Paul-Löbe

Cet immense édifice en verre et en béton abrite des bureaux pour les commissions parlementaires du Bundestag. Symbole visuel de la réunification, une passerelle à deux étages enjambe la Spree et relie le bâtiment à la maison Marie-Elisabeth-Lüders, qui accueille la bibliothèque du parlement.

À savoir

- Pour le dôme du Reichstag, réservation obligatoire à effectuer en ligne sur www.bundestag.de. Réservez longtemps à l'avance.
- Audioguides multilingues gratuits sur le toit-terrasse.
- Consultez le site Internet pour les visites guidées ou pour assister à une séance plénière ou à une conférence sur le Bundestag.

Une petite faim ?

Le **Käfer Dachgarten Restaurant** (plan p. 30, C2 ; ☎2262 9933 ; www.feinkost-kaefer.de/dachgarten_restaurant ; plats midi 16-24 €, soir 25-30 €), sur le toit-terrasse du Reichstag, est gastronomique ; réservez au moins 2 semaines à l'avance.

Sinon, l'adresse la plus proche est le **Berlin Pavillon** (plan p. 30, C3 ; www.berlin-pavillon.de ; Scheidemannstrasse 1 ; plats 2,50-9 €), une cafétéria/*Biergarten* en bordure du Tiergarten.

Les incontournables
La porte de Brandebourg et la Pariser Platz

Symbole de division durant la guerre froide, la porte de Brandebourg (Brandenburger Tor) incarne aujourd'hui l'Allemagne réunifiée et sert souvent de décor à des festivals, des concerts géants et aux célébrations du Nouvel An. Carl Gotthard Langhans s'inspira de l'Acropole d'Athènes pour concevoir ce superbe arc de triomphe, qui fut achevé en 1791. La porte veille sur la Pariser Platz, une place aux proportions harmonieuses de nouveau entourée d'ambassades et de banques, comme au temps de sa gloire, au XIXe siècle.

Plan p. 30, D3

gratuit

24h/24

U-/S-Bahn Brandenburger Tor

À ne pas manquer

Quadrige

Au sommet de la porte de Brandebourg trône le *Quadrige* de Johann Gottfried Schadow, une sculpture représentant la déesse ailée de la Victoire conduisant un char tiré par quatre chevaux. Après avoir vaincu la Prusse en 1806, Napoléon enleva cette dame et la garda en otage à Paris jusqu'à ce qu'elle fût libérée par un vaillant général prussien en 1815.

Hôtel Adlon

Réplique presque identique de l'original de 1907, l'Adlon est l'hôtel le plus luxueux de Berlin. C'est ici que fut tourné en 1932 le film *Grand Hotel*, avec Greta Garbo en ballerine désabusée. Désormais appelé Adlon Kempinski, l'hôtel est toujours le repaire favori des célébrités, des gouvernants et des excentriques. Michael Jackson brandissant son bébé à un balcon... c'était ici.

Musée Kennedy

Organisé comme un album de famille, ce **musée** (adulte/tarif réduit 7/3,50 € ; 10h-18h), intime et non politique, met à l'honneur le président américain John F. Kennedy, qui tient une place spéciale dans les cœurs allemands depuis son discours de soutien *"Ich bin ein Berliner !"* en 1963. En plus des photos, il y a diverses reliques, dont la toque en astrakan de Jackie et un album de Superman désopilant où le président figure en vedette.

DZ Bank

Le siège de cette banque, qui réserve un choc visuel derrière sa façade austère, a été conçu par l'architecte déconstructiviste Frank Gehry. Vous ne pourrez pas aller au-delà du vestibule (ouvert en semaine), mais cela suffit pour entrevoir l'atrium au toit en verre et son étrange sculpture de forme libre, qui est en réalité une salle de conférence.

À savoir

- Plans et renseignements disponibles à l'office du tourisme dans l'aile sud de la porte.
- Pour quelques minutes de silence, rendez-vous dans la salle de méditation (ouverte à tous) située dans l'aile nord de la porte.
- Les plus belles lumières sont celles du lever et du coucher du soleil.
- Consultez le calendrier des expositions, des lectures et des ateliers à l'Académie des arts (fondée en 1696).
- Dans la station d'U-Bahn Brandenburger Tor, une exposition gratuite retrace les événements majeurs de l'histoire de la porte.

Une petite faim ?

Rendez-vous à l'hôtel Adlon pour un café et une part de gâteau, un déjeuner léger ou un thé l'après-midi.

Pour le dîner, essayez la cuisine asiatique fusion de l'Uma (p. 35).

Les incontournables
Mémorial de l'Holocauste

Le 10 mai 2005, après 17 ans de discussions, de préparations et de travaux, le mémorial aux Juifs assassinés d'Europe a enfin été inauguré. Communément appelé mémorial de l'Holocauste, c'est le plus important mémorial allemand dédié aux victimes du génocide perpétré par les nazis durant le IIIe Reich. Sur une surface de la taille d'un terrain de football, l'architecte new-yorkais Peter Eisenman a élevé 2 711 stèles aux allures de sarcophages qui sortent du sol ondulant dans un sombre silence. Vous êtes libre d'entrer dans ce labyrinthe à n'importe quel endroit et de le parcourir comme vous le souhaitez.

Plan p. 30, D4

www.stiftung-denkmal.de

Ebertstrasse ; centre d'information Cora-Berliner-Strasse 1

gratuit

24h/24 ; centre d'information 10h-19h ou 20h

U-/S-Bahn Brandenburger Tor ; 200

À ne pas manquer

Champ de stèles

Au premier abord, l'imposant quadrillage de stèles rectangulaires en béton dont seule la hauteur varie peut sembler austère et froid. Mais il faut prendre le temps de plonger dans ce labyrinthe d'étroits passages pour ressentir ce qu'il évoque : la désorientation, la confusion et la claustrophobie.

Centre d'information

Si le mémorial en tant que tel est plutôt abstrait, le centre d'information lève le voile de l'anonymat sur les six millions de victimes de l'Holocauste de façon très poignante. Une frise chronologique des persécutions des Juifs sous le IIIe Reich est suivie de plusieurs salles où sont relatés les destins d'individus et de familles.

Salle des noms

Dans cette salle plongée dans le noir, la plus émouvante du centre d'information, les noms ainsi que les dates de naissance et de mort des victimes juives sont projetés sur les quatre murs pendant qu'une voix solennelle lit de brèves biographies. Il faudrait presque sept ans pour commémorer ainsi toutes les victimes connues.

Mémorial pour les homosexuels victimes du nazisme

En juin 2008, l'inauguration de ce mémorial a mis en avant les persécutions et souffrances subies par les homosexuels européens sous le régime nazi. Situé en face du mémorial de l'Holocauste, il a été conçu par les artistes scandinaves Michael Elmgreen et Ingar Dragset. C'est une sorte de cube de béton de 4 m de hauteur percé d'une étroite fenêtre oblique à travers laquelle on peut observer une vidéo.

À savoir

- Visites guidées gratuites en anglais à 15h le samedi, et en allemand à 15h le dimanche.
- Dernière admission au centre d'information 45 minutes avant la fermeture.
- Des audioguides en français sont disponibles pour 4 € (tarif réduit 2 €).
- Le mémorial est le plus impressionnant lorsque les ombres sont longues, c'est-à-dire tôt le matin ou en fin de journée.

Une petite faim ?

Rendez-vous non loin de là, à **Samādhi** (plan p. 30, E4 ; Wilhelmstrasse 77 ; plats 10-13 € ; déj et dîner), pour déguster curries, satays, soupes et plats de nouilles, tous préparés avec des légumes frais et sans viande.

Pour un large choix de restaurants et de bars, marchez vers le sud jusqu'à la Potsdamer Platz toute proche (p. 66).

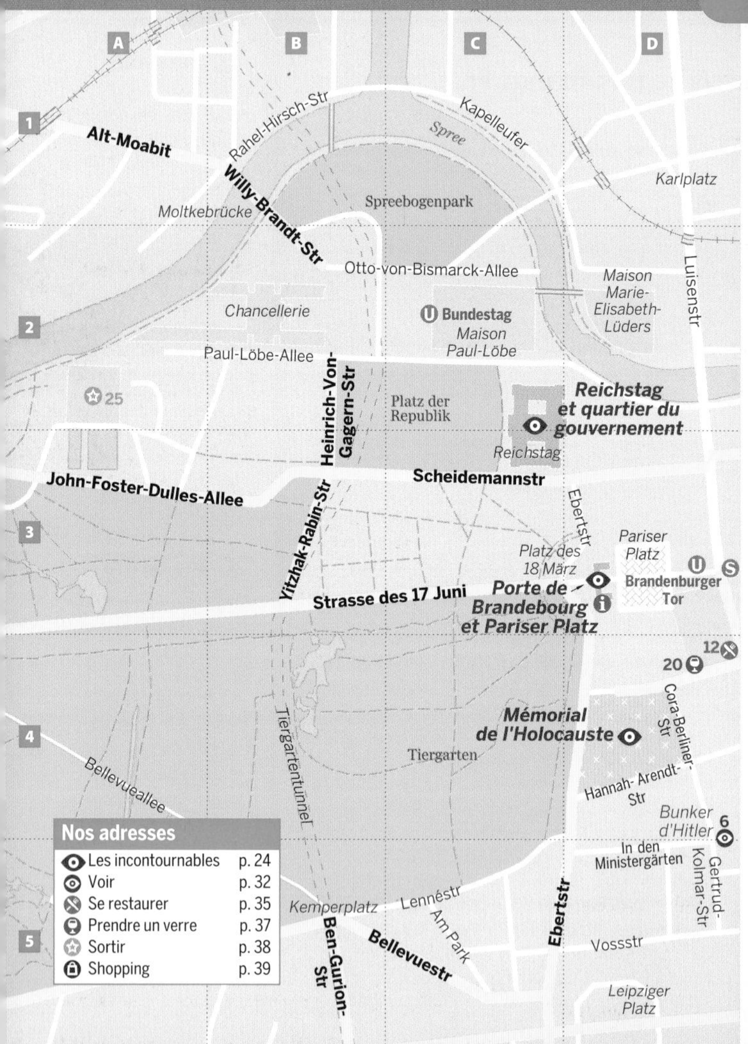
A
B
C
D
1
2
3
4
5
Alt-Moabit
Rahel-Hirsch-Str
Kapelleufer
Spree
Willy-Brandt-Str
Karlplatz
Moltkebrücke
Spreebogenpark
Otto-von-Bismarck-Allee
Maison Marie-Elisabeth-Lüders
Luisenstr
Chancellerie
Bundestag
Maison Paul-Löbe
Paul-Löbe-Allee
Heinrich-Von-Gagern-Str
Platz der Republik
25
Reichstag et quartier du gouvernement
Reichstag
John-Foster-Dulles-Allee
Scheidemannstr
Yitzhak-Rabin-Str
Ebertstr
Pariser Platz
Platz des 18 März
Porte de Brandebourg et Pariser Platz
Brandenburger Tor
Strasse des 17 Juni
12
20
Mémorial de l'Holocauste
Cora-Berliner-Str
Tiergarten
Tiergartentunnel
Hannah-Arendt-Str
Bellevueallee
Bunker d'Hitler
6
In den Ministergärten
Gertrud-Kolmar-Str
Kemperplatz
Lennéstr
Am Park
Ebertstr
Ben-Gurion-Str
Bellevuestr
Vossstr
Leipziger Platz
Nos adresses
Les incontournables p. 24
Voir p. 32
Se restaurer p. 35
Prendre un verre p. 37
Sortir p. 38
Shopping p. 39

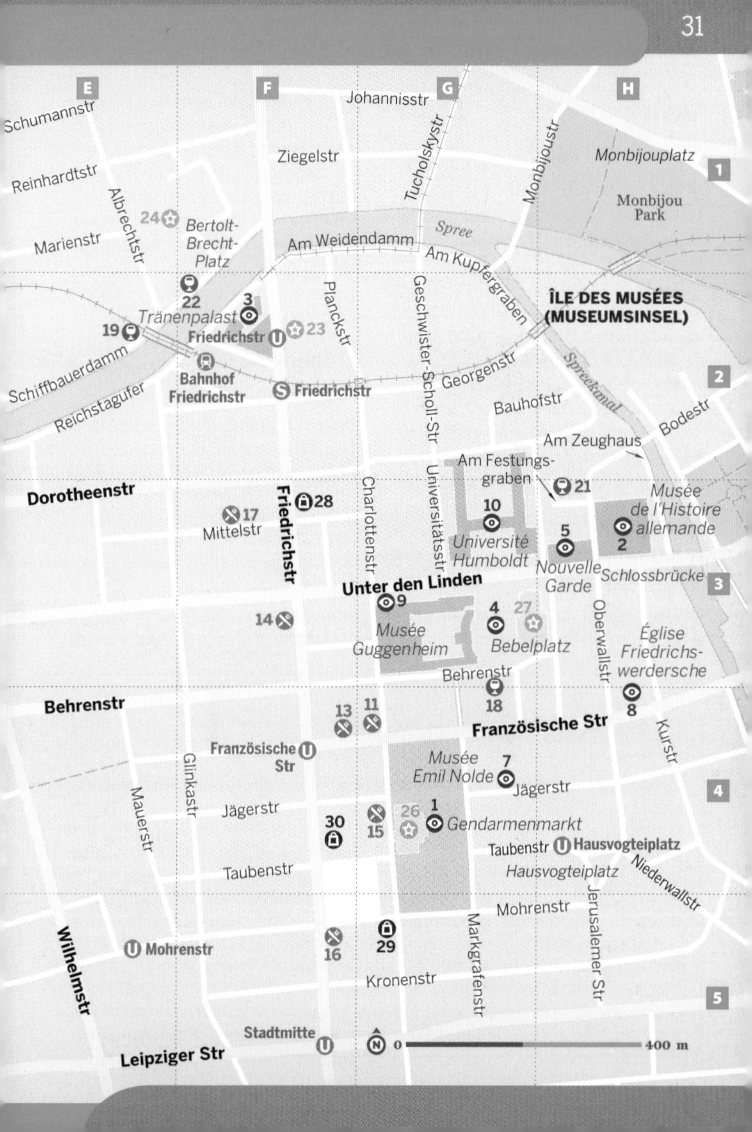
E
F
G
H
1
2
3
4
5
Schumannstr
Johannisstr
Ziegelstr
Tucholskystr
Monbijoustr
Monbijouplatz
Monbijou Park
Reinhardtstr
Albrechtstr
Marienstr
Bertolt-Brecht-Platz
Spree
Am Weidendamm
Am Kupfergraben
Planckstr
Geschwister-Scholl-Str
ÎLE DES MUSÉES (MUSEUMSINSEL)
Tränenpalast
Friedrichstr
Bahnhof Friedrichstr
Schiffbauerdamm
Reichstagufer
Georgenstr
Spreekanal
Bauhofstr
Bodestr
Am Zeughaus
Am Festungs-graben
Dorotheenstr
Friedrichstr
Charlottenstr
Universitätsstr
Mittelstr
Université Humboldt
Nouvelle Garde
Musée de l'Histoire allemande
Schlossbrücke
Unter den Linden
Musée Guggenheim
Bebelplatz
Oberwallstr
Église Friedrichs-werdersche
Behrenstr
Behrenstr
Französische Str
Französische Str
Kurstr
Musée Emil Nolde
Glinkastr
Mauerstr
Jägerstr
Jägerstr
Gendarmenmarkt
Taubenstr
Hausvogteiplatz
Hausvogteiplatz
Taubenstr
Niederwallstr
Mohrenstr
Jerusalemer Str
Markgrafenstr
Wilhelmstr
Mohrenstr
Kronenstr
Stadtmitte
Leipziger Str
0
400 m

Voir

Gendarmenmarkt

PLACE

1 Plan p. 30, G4

Les coupoles des églises allemande et française dominent cette place. Entre les deux se dressent la Konzerthaus (salle de concert ; p. XX) et son portique grandiose. Cette place doit son nom aux “Gens d'armes”, un régiment prussien du XVIIIe siècle constitué de huguenots français réfugiés à Berlin. Dans l'église française (Französicher Dom), un musée raconte leur histoire ; gravissez la tour pour profiter de la vue sur le Berlin historique. (U-Bahn Französische Strasse)

Musée de l'Histoire allemande

MUSÉE

2 Plan p. 30, H3

Cet intéressant musée passe en revue 2 000 ans d'histoire allemande sur deux étages d'un arsenal de l'époque prussienne. Ne manquez pas le globe nazi, les sculptures des visages tordus de douleur de guerriers mourants qui ornent la cour intérieure et les expositions temporaires qui ont lieu dans l'annexe moderne imaginée par IM Pei. (Deutsches Historisches Museum ; www.dhm.de ; Unter den Linden 2 ; adulte/enfant 6 €/gratuit ; 10h-18h ; 100, 200, TXL)

Tränenpalast

MUSÉE

3 Plan p. 30, F2

Durant la guerre froide, beaucoup de larmes ont coulé dans ce poste-frontière où les Allemands de l'Est faisaient leurs “au revoir” à leur famille d'Allemagne de l'Ouest venue leur rendre visite – d'où son surnom de “palais des larmes”. Une exposition met en scène objets, photos et enregistrements d'époque pour décrire de manière captivante l'impact social de la division de la ville

Comprendre

Le Reichstag dans l'histoire

Le bâtiment du parlement allemand a été le témoin de plusieurs événements majeurs de l'histoire allemande. C'est depuis l'une de ses fenêtres que Philipp Scheidemann proclama la République à l'issue de la Première Guerre mondiale. L'incendie du Reichstag de février 1933, dont furent accusés les communistes, permit à Hitler de prendre le pouvoir. Douze ans plus tard, des soldats de l'Armée rouge victorieuse dressaient le drapeau soviétique sur l'édifice bombardé, qui resta vide et en ruine du côté ouest du Mur durant toute la guerre froide.

Dans les années 1980, des superstars comme David Bowie, les Pink Floyd et Michael Jackson donnèrent des concerts devant le bâtiment. Après la chute du Mur, la réunification allemande fut entérinée ici en 1990. Cinq ans plus tard, le couple d'artistes Christo et Jeanne-Claude empaqueta l'édifice dans un immense tissu argenté, juste avant que Norman Foster en commence la rénovation.

sur la vie quotidienne des Allemands des deux côtés de la frontière. (Reichstagufer 17 ; gratuit ; ⏲9h-19h mar-ven, 10h-18h sam-dim ; U-/S-Bahn Friedrichstrasse)

Bebelplatz PLACE

4 Plan p. 30, G3

C'est sur cette place dénuée d'arbres que des livres de Bertolt Brecht, de Thomas Mann, de Karl Marx et d'autres auteurs "subversifs" partirent en fumée lors du premier grand autodafé organisé par l'Union des étudiants nationaux-socialistes allemands en 1933. La *Bibliothèque engloutie*, de Micha Ullmann, installée au centre de la place, rappelle cet événement. (🚌100, 200, TXL)

Nouvelle Garde MÉMORIAL

5 Plan p. 30, H3

Ce mémorial dédié aux victimes de la guerre est un ancien corps de garde royal réalisé par Karl Friedrich Schinkel en 1818 sur le modèle d'un temple romain. Au centre, une sculpture de Käthe Kollwitz représente un soldat mort dans les bras de sa mère. Sous l'édifice sont enterrés les restes d'un soldat inconnu et d'un résistant et de la terre de 9 champs de bataille et camps de concentration européens. (Neue Wache ; Unter den Linden 4 ; gratuit ; ⏲10h-18h ; 🚌100, 200, TXL)

Bunker d'Hitler SITE HISTORIQUE

6 Plan p. 30, D4

Berlin brûlait et subissait le feu soviétique lorsque Hitler se suicida dans son bunker le 30 avril 1945 aux côtés d'Eva Braun, sa compagne.

Marché de Noël sur le Gendarmenmarkt

Le site est désormais occupé par un parking et un panneau d'information sur lequel figurent un schéma du vaste blockhaus, des données techniques sur sa construction et des informations sur son histoire après la guerre. (Angle In den Ministergärten et Gertrud-Kolmar-Strasse ; U-/S-Bahn Brandenburger Tor)

Musée Emil-Nolde PEINTURES

7 Plan p. 30, G4

Fleurs chatoyantes, mers démontées et femmes colorées : les toiles et aquarelles d'Emil Nolde (1867-1956) sont intenses, parfois mélancoliques, toujours captivantes. Ce musée, aménagé dans une ancienne banque du XIXe siècle, présente en rotation un choix d'œuvres de cette figure-clé

Comprendre

Berlin sous le svastika

L'arrivée au pouvoir d'Adolf Hitler et du NSDAP (le parti nazi) en janvier 1933 eut des conséquences immédiates et considérables pour toute l'Allemagne. En l'espace de trois mois, tous les partis et organisations non nazis et tous les syndicats furent déclarés illégaux et nombre d'opposants politiques, d'intellectuels et d'artistes furent emprisonnés sans jugement. Les Juifs étaient l'une des principales cibles des nazis. L'horreur de leur sort s'agrava lors des pogroms de la Nuit de Cristal le 9 novembre 1938, lorsque les nazis profanèrent, brûlèrent et démolirent des synagogues ainsi que des cimetières, maisons et commerces juifs à travers tout le pays. L'émigration des Juifs avait commencé dès 1933, mais elle s'accéléra alors.

Le sort des Juifs qui ne purent ou ne voulurent pas quitter le pays est malheureusement connu : ce fut l'extermination planifiée et systématique dans les camps de la mort, principalement dans les territoires d'Europe orientale occupés par l'Allemagne. Sinti et Roms (tziganes), opposants politiques, prêtres, homosexuels et criminels récidivistes furent également visés. Sur les quelque sept millions de personnes envoyées dans les camps de concentration, seules 500 000 survécurent.

La bataille de Berlin

Avec le débarquement de Normandie en juin 1944, les soldats alliés arrivèrent en force sur le continent européen, soutenus par d'implacables raids aériens sur Berlin et la plupart des autres villes allemandes. La bataille de Berlin, commencée à la mi-avril 1945, fut menée par 1,5 million de soldats soviétiques arrivés depuis l'est. Le 30 avril, lorsque les combats atteignirent le quartier du gouvernement, Hitler et sa compagne Eva Braun se suicidèrent dans leur bunker. Tandis que leurs corps brûlaient, des soldats de l'Armée rouge hissaient le drapeau rouge au sommet du Reichstag.

Défaite et conséquences

La bataille de Berlin s'acheva le 2 mai, et la capitulation sans conditions de l'Allemagne eut lieu six jours plus tard. La capitale et ses habitants payèrent un très lourd tribut aux combats : la majeure partie de la ville fut réduite à l'état de ruines et au moins 125 000 Berlinois perdirent la vie. En juillet 1945, les dirigeants des puissances alliées se réunirent à Potsdam pour découper l'Allemagne et Berlin en quatre zones d'occupation contrôlées par le Royaume-Uni, les États-Unis, l'URSS et la France.

de l'expressionnisme allemand. (www.nolde-stiftung.de ; Jägerstrasse 55 ; adulte/tarif réduit 8/3 € ; 10h-19h ; U-Bahn Französische Strasse, Hausvogteiplatz)

Friedrichswerdersche Kirche ÉGLISE, MUSÉE

8 Plan p. 30, H4

Cette église aux tourelles insolites, édifiée par Karl Friedrich Schinkel, abrite désormais des sculptures allemandes du XIXe siècle, dont plusieurs œuvres de Christian Daniel Rauch et Johann Gottfried Schadow. À l'étage se trouve une exposition sur la vie et l'œuvre de Schinkel. (www.smb.museum ; Werderscher Markt ; gratuit ; 10h-18h ; U-Bahn Hausvogteiplatz)

Musée Guggenheim ART CONTEMPORAIN

9 Plan p. 30, G3

La Deutsche Bank et la Fondation Guggenheim ont créé ce petit espace minimaliste en commun. S'y tiennent des expositions thématiques ou monographiques d'artistes contemporains de renom tels que Jeff Koons, Hiroshi Sugimoto et Agathe Snow. Boutique et café sympas. (Deutsche Guggenheim Berlin ; www.deutsche-guggenheim.de ; Unter den Linden 13-15 ; adulte/tarif réduit 4/3 €, gratuit lun ; 10h-20h ; U-Bahn Französische Strasse ; 100, 200, TXL)

Université Humboldt SITE HISTORIQUE

10 Plan p. 30, G3

Autrefois palais royal, cette université est la plus ancienne de Berlin (1810). Karl Marx et Friedrich Engels y étudièrent, les frères Grimm et Albert Einstein y enseignèrent et 29 Prix Nobel sont issus de ses rangs. Aujourd'hui, quelque 35 000 étudiants s'efforcent d'être à la hauteur de cet illustre héritage.

Se restaurer

Fischers Fritz INTERNATIONAL €€€

11 Plan p. 30, G4

Même les clients qui ne raffolent pas des restaurants d'hôtel doivent reconnaître que Christian Lohse a bien mérité ses deux étoiles au Michelin en créant une collection de saveurs à partir de succulents poissons, viandes et fruits de mer. Situé au Regent, Fischers Fritz est une adresse très chic. Le menu déjeuner à 47 € est d'un excellent rapport qualité/prix. (2033 6363 ; www.fischersfritzberlin.com ; Charlottenstrasse 49 ; plats 50-90 € ; U-Bahn Französische Strasse)

Uma ASIATIQUE €€€

12 Plan p. 30, D4

L'Uma ("cheval" en japonais) place très haut la barre du luxe avec sa décoration raffinée et ses plats asiatiques aux influences européennes qui entrecroisent les saveurs comme les fils d'une subtile tapisserie. Outre les sushis et sashimis, on y sert des plats de viande cuits sur le gril au charbon de bois (*robata*) et de succulents mets comme le poulpe frit à la coréenne et le crabe en mue à l'infusion de wasabi. (301 117 333 ; www.uma-restaurant.de ; Behrenstrasse 72 ; plats 15-55 € ; dîner lun-sam ; U-/S-Bahn Brandenburger Tor ; 100, TXL)

Borchardt
FRANCO-ALLEMAND €€€

13 Plan p. 30, F4

Institution berlinoise, cette brasserie haute de plafond est autant connue pour ses succulentes Wiener Schnitzel (escalopes panées) que pour la liste de ses hôtes, composée de personnalités du monde entier. Ce lieu fut fondé en 1853 par le cuisinier en chef de la cour royale prussienne, ce que rappelle le cadre néobaroque. (8188 6262 ; Französische Strasse 47 ; plats 19-40 € ; U-Bahn Französische Strasse)

Cookies Cream
VÉGÉTARIEN €€€

14 Plan p. 30, F3

Chapeau bas si vous parvenez à accéder sans mal au paradis des végétariens. Un indice : après avoir emprunté l'allée de service du Westin Grand Hotel et être passé sous un immense lustre, c'est à l'étage. Sonnez à la porte pour entrer dans un beau loft de style industriel et déguster des plats riches en saveurs et cuisinés à partir d'ingrédients de saison. Pour les clients, accès gratuit au Cookies (p. 37), la boîte de nuit située au rez-de-chaussée. (2749 2940 ; www.cookiescream.com ; accès par Behrensstrasse 55 ; plats 18 €, menu dîner 32 € ; dîner mar-sam ; ; U-Bahn Französische Strasse)

Augustiner am Gendarmenmarkt
ALLEMAND €€

15 Plan p. 30, G4

Touristes, mélomanes et amoureux de la cuisine allemande se côtoient aux tables rustiques de la première authentique brasserie bavaroise de Berlin. Imprégnez-vous de l'atmosphère simple qui s'en dégage devant une chope de bière Augustiner bien corsée. Propose des spécialités consistantes telles que saucisses, rôti de porc et bretzels, et une multitude de plats plus légers (et même végétariens). Plats du jour le midi d'un bon rapport qualité/prix. (www.augustiner-braeu-berlin.de ; Charlottenstrasse 55 ; plats 6-18 € ; 10h-2h ; U-Bahn Französische Strasse)

ChaChà
THAÏLANDAIS €€

16 Plan p. 30, F5

Trop de visites ou de shopping ? Aucun problème : une portion de curry Massaman devrait vous requinquer – si l'on en croit le menu de ce resto thaï, ce plat possède un effet “activateur”. Tous les plats sont censés posséder diverses vertus : revitaliser, apaiser ou stimuler. Fantaisiste ? Peut-être, mais sacrément bon. (www.eatchacha.com ; Friedrichstrasse 63 ; plats 5-10 € ; 10h-1h ; U-Bahn Stadtmitte)

Ishin
JAPONAIS €

17 Plan p. 30, F3

Ne faites pas attention aux allures de cafétéria de ce paradis du sushi bon marché. Les plateaux sont copieux et abordables, surtout pendant l'happy hour (mercredi et samedi toute la journée, 11h-16h les autres jours). Si vous n'avez pas envie de poisson cru, optez pour un bol de riz fumant agrémenté de viande, poisson et légumes exotiques. Thé vert gratuit à volonté. (www.ishin.de ; Mittelstrasse 24 ; plateaux 7-18 € ; 11h-22h lun-sam ; U-/S-Bahn Friedrichstrasse)

Prendre un verre

Cookies

CLUB

Ce légendaire temple de la danse, en dessous du Cookies Cream (voir 14 plan p. 30, F3), occupe un cinéma rétro-glam de l'époque de la RDA niché dans le bâtiment du Westin Grand Hotel. Aucune enseigne, lourde porte et clientèle mûre. Peut-être apercevrez-vous des célébrités. (www.cookies-berlin.de ; Friedrichstrasse 158-164 ; mar, jeu, quelques sam ; U-Bahn Französische Strasse)

Bebel Bar

BAR

18 Plan p. 30, G3

Rien de tel pour jouer les George Clooney que le bar cosy à l'éclairage tamisé de l'Hotel de Rome. Ses cocktails sont originaux et séduisants, même ceux sans alcool. Amateurs de whisky-coca s'abstenir… (Behrenstrasse 37 ; à partir de 9h ; 100, 200, TXL)

Tausend

BAR

19 Plan p. 30, E2

Derrière une porte en acier anonyme, des filles en robes sexy sirotent des mojitos à la framboise aux côtés de garçons à la barbe de trois jours avec un London Mule (gin + citron) à la main dans ce qui est peut-être le bar le plus branché de Mitte. Installé dans les entrailles d'un pont de chemin de fer, le lieu arbore pourtant une décoration très soignée. Si vous avez faim, dirigez-vous vers la "Cantina", dans la salle du fond. (www.tausendberlin.com ; Schiffbauerdamm 11 ; mar-sam ; U-/S-Bahn Friedrichstrasse)

Felix

CLUB

20 Plan p. 30, D4

Le club sélect de l'Hotel Adlon (p. XX). Une fois franchie l'étape du videur, vous pourrez vous trémousser sur des rythmes trépidants, siroter des cocktails à base de champagne et flirter à loisir. Entrée et verre de prosecco gratuits pour les filles le lundi. Jeudi c'est soirée afterwork. (www.felix-clubrestaurant.de ; Behrenstrasse 72 ; lun, jeu-sam ; U-/S-Bahn Brandenburger Tor)

Tadschikische Teestube

CAFÉ

21 Plan p. 30, H3

Sirotez un thé fumant préparé dans des samovars argentés, étendu au milieu de coussins rebondis, de colonnes en bois de santal sculptées à la main et de fresques épiques dans cet authentique salon de thé tadjik. Offert en 1974 par l'Union soviétique à la RDA, il est niché à l'étage d'un palais du XVIIIe siècle qui accueillait un centre culturel germano-soviétique. (Am Festungsgraben 1 ; 17h-24h lun-ven, 15h-24h sam-dim ; 100, 200, TXL)

Berliner Republik

BRASSERIE

22 Plan p. 30, F2

Dans cette brasserie bruyante en bordure de rivière qui fonctionne comme une bourse miniature, le prix des boissons fluctue selon la demande. Le réflexe pavlovien s'empare des clients lorsque sonne une lourde cloche en laiton, signalant des prix bradés. (www.die-berliner-republik.de ; Schiffbauerdamm 8 ; 10h-18h ; U-/S-Bahn Friedrichstrasse)

Sortir

Admiralspalast
THÉÂTRE

23 Plan p. 30, F2

Ce haut lieu de divertissement des années 1920, aujourd'hui restauré, programme pièces, concerts et comédies musicales très populaires dans son théâtre d'époque. Deux petites scènes accueillent des spectacles plus intimes. (4799 7499 ; www.admiralspalast.de, en allemand ; Friedrichstrasse 101-102 ; U-/S-Bahn Friedrichstrasse)

Berliner Ensemble
THÉÂTRE

24 Plan p. 30, E1

La compagnie fondée en 1949 par Bertolt Brecht réside dans le théâtre néobaroque où son *Opéra de quat'sous* fut joué pour la première fois en 1928. L'actuel directeur artistique, Claus Peymann, perpétue l'héritage du maître et pimente le répertoire d'œuvres de Friedrich Schiller, Heinrich von Kleist et d'autres dramaturges classiques allemands. (2840 8155 ; www.berliner-ensemble.de, en allemand ; Bertolt-Brecht-Platz 1 ; U-/S-Bahn Friedrichstrasse)

Bon plan

Concerts gratuits

Les talentueux étudiants de l'**École supérieure de musique Hanns Eisler** (plan p. 30, G4 ; www.hfm-berlin.de ; Charlottenstrasse 55), dévoilent leurs talents à l'occasion de plusieurs récitals chaque semaine, gratuits ou peu chers pour la plupart. Ils ont lieu sur le campus principal ou à proximité, dans la Neuer Marstall, Schlossplatz 7.

Maison des Cultures du monde
SPECTACLE VIVANT

25 Plan p. 30, A2

Dans un édifice dont le toit parabolique défie les lois de la gravité, la Maison des Cultures du monde accueille des créations contemporaines non européennes : expositions, musique, spectacles de danse, lectures, films, théâtre... Son carillon de 68 cloches sonne tous les jours à 12h et 18h. (Haus der Kulturen der Welt ; www.hkw.de ; John-Foster-Dulles-Allee 10 ; U-Bahn Bundestag ; 100 ;)

Konzerthaus Berlin
MUSIQUE CLASSIQUE

26 Plan p. 30, G4

Ce temple de la musique classique (construit par Schinkel sur les ruines d'un édifice en 1821) est le lieu de résidence du Konzerthausorchester. Il accueille aussi des artistes du monde entier, des cycles de concerts et des représentations pour enfants. (203 090 ; www.konzerthaus.de ; Gendarmenmarkt 2 ; U-Bahn Französische Strasse)

Staatsoper Unter den Linden
OPÉRA

27 Plan p. 30, G3

L'opéra historique est en cours de rénovation, au moins jusqu'en 2014. En attendant, c'est au Schiller Theater

Comprendre
Bertolt Brecht

Célèbre dans le monde entier pour sa pièce de théâtre musicale de 1928 *Die Dreigroschenoper* (*L'Opéra de quat'sous*), Bertolt Brecht (1898-1956) est le poète et dramaturge le plus controversé de l'Allemagne du XXe siècle. Sa plus grande contribution à la théorie théâtrale est sa création du "théâtre épique" qui, contrairement au "théâtre dramatique", force son public à se détacher émotionnellement de la pièce et de ses personnages.

Influencé par le marxisme, Brecht écrivit nombre de ses meilleures pièces en exil à Los Angeles pendant la période nazie, notamment *Mère Courage et ses enfants* (1941) et *La Bonne Âme du Se-Tchouan* (1943). En 1949, il revint à Berlin-Est où il fonda le Berliner Ensemble avec sa femme, l'actrice Hélène Weigel.

de Charlottenburg (voir p. 157) que sont données les représentations. (Staatsoper Unter den Linden ; Unter den Linden 7 ; U-Bahn Französische Strasse ; 100, 200, TXL)

Shopping

Dussmann – Das Kulturkaufhaus LIVRES, MUSIQUE

28 Plan p. 30, F3

On perd vite la notion du temps dans cet antre débordant de livres, DVD et CD et doté de coins de lecture, d'un café et d'une scène pour les concerts, les débats politiques, les lectures et les séances de dédicaces. (www.kulturkaufhaus.de, en allemand ; Friedrichstrasse 90 ; 10h-24h lun-ven, 10h-23h30 sam ; U-/S-Bahn Friedrichstrasse)

Fassbender & Rausch CONFISERIE

29 Plan p. 30, G5

Si, pour les Aztèques, le chocolat était l'élixir des dieux, ce royaume de la truffe et de la praline est sans doute le paradis des gourmands. En bonus : un volcan en chocolat et des reproductions des monuments de Berlin. Le café à l'étage sert de divines boissons à base de chocolat et des gâteaux. (www.fassbender-rausch.de ; Charlottenstrasse 60 ; 10h-20h lun-sam, 11h-20h dim ; U-Bahn Französische Strasse)

Friedrichstadtpassagen GALERIE COMMERCIALE

30 Plan p. 30, F4

Boutiques de grandes marques ou de créateurs berlinois et espaces dédiés à la gastronomie jalonnent cette galerie dont les trois luxueux blocs d'immeubles (appelés "quartiers") communiquent entre eux. Ne manquez pas le cône inversé en verre de Jean Nouvel à l'intérieur des **Galeries Lafayette**, le **Quartier 206** d'inspiration Art déco et la tour en pièces automobiles comprimées de John Chamberlain du **Quartier 205**. (Friedrichstrasse 76 ; U-Bahn Französische Strasse, Stadtmitte)

Explorer

Île des Musées et Alexanderplatz

Déambulez dans la Babylone antique, rencontrez une reine égyptienne, gravissez un autel grec ou admirez les paysages de Monet. Inscrits au patrimoine mondial de l'Unesco, les cinq musées de la Museumsinsel (île des Musées) recèlent des trésors d'art et d'architecture. Non loin de là se trouve le berceau médiéval de Berlin que surplombe l'imposante tour de la télévision, au pied de laquelle s'étend la bruyante Alexanderplatz, à l'architecture communiste.

L'essentiel en un jour

Évitez la foule en arrivant au **musée de Pergame** (p. 42) avant l'ouverture des portes à 10h, puis consacrez au moins une heure à la contemplation des trésors antiques – l'autel de Pergame, la porte d'Ishtar, etc. Continuez par la visite de la **Humboldt-Box** (p. 49) afin de comprendre pourquoi la reconstruction du palais royal de Berlin suscite tant de polémiques, puis faites crépiter votre appareil photo du haut de la plate-forme d'observation. Enchaînez avec un déjeuner au **Zwölf Apostel** (p. 53).

Une fois revigoré, rendez-vous au **Nouveau Musée** (p. 46) pour présenter vos hommages à la reine Néfertiti ou optez pour l'un des autres concurrents de l'île des Musées. Ensuite, méditez sur ce que vous venez de voir lors d'une tranquille **croisière sur la rivière** (p. 50) à travers le centre historique de Berlin, puis profitez d'une vue aérienne sur la ville depuis le sommet de la **tour de la télévision** (photo ci-contre, avec la cathédrale de Berlin ; p. 50), l'édifice le plus haut d'Allemagne.

Pour une ambiance rétro, terminez la journée par un repas allemand traditionnel au **Zur Letzten Instanz** (p. 52) ; si vous préférez un style plus avant-gardiste, réservez une table au **.HBC** (p. 52), dont le bar est idéal pour un dernier verre.

Les incontournables

Musée de Pergame (p. 42)

Nouveau Musée (p. 46)

Le meilleur du quartier

Musées

Ancien Musée (p. 49)

Nouveau Musée (p. 46)

Musée de Pergame (p. 42)

Musée de la RDA (p. 49)

Restaurant

Zur Letzten Instanz (p. 52)

Comment y aller

Bus Les bus n°100, 200 et le TXL relient l'Alexanderplatz et l'île des Musées.

S-Bahn Les S5, S7/75 et S9 passent tous par Alexanderplatz. Pour l'île des Musées, les stations les plus proches sont Hackescher Markt et Friedrichstrasse.

Tramway Le M1 et le n°12 s'arrêtent à Am Kupfergraben, à l'ouest de l'île des Musées.

U-Bahn Les U2, U5 et U8 desservent Alexanderplatz. Friedrichstrasse est la station la plus proche de l'île des Musées.

Les incontournables
Musée de Pergame

Site touristique majeur de Berlin, le musée de Pergame (Pergamonmuseum) est une caverne d'Ali Baba emplie de trésors qui ouvrent une fenêtre fascinante sur le monde antique. Doté de trois ailes, cet immense ensemble construit sur l'île des Musées a ouvert en 1930. On peut y admirer des chefs-d'œuvre de sculpture et d'architecture provenant de Grèce, de Rome, de Babylone et du Moyen-Orient, découverts pour la plupart par des archéologues allemands au tournant du XXe siècle. Parmi eux figure le célèbre autel de Pergame, qui a donné son nom au musée.

Plan p. 48, A2

www.smb.museum

Am Kupfergraben 5

adulte/tarif réduit 10/5 €

10h-18h, 10h-22h jeu

100, 200, TXL ; S-Bahn Hackescher Markt ; U-Bahn Friedrichstrasse ; M1, 12

Autel de Pergame

À ne pas manquer

Autel de Pergame

L'autel qui a donné son nom au musée domine par son imposante présence la première salle dans laquelle on entre. Ce gigantesque sanctuaire en marbre surélevé du IIe siècle av. J.-C. provient de la cité grecque de Pergame (actuelle Bergama en Turquie). Au centre, un escalier large et raide conduit à une cour à colonnades ornée d'une frise représentant des épisodes de la vie de Télèphe, le fondateur légendaire de Pergame.

Frise de Pergame

Une autre frise, encore plus impressionnante, est reconstituée sur les murs de la salle de l'autel. Longue d'environ 113 m, elle montre les dieux livrant bataille contre les géants. À l'origine peinte et dorée, elle entourait l'autel. Les détails anatomiques, l'intensité émotionnelle et la composition aux accents dramatiques en témoignent : l'art hellénistique est ici porté à son plus haut degré de perfection.

Porte du marché de Milet

Autrefois, marchands et clients devaient franchir cette splendide porte de 17 m de hauteur pour accéder au fourmillant marché de Milet, une importante ville commerçante grecque intégrée à l'Empire romain (située en Turquie de nos jours, près de Balat). La porte de marbre richement décorée mêle motifs grecs et romains et fut probablement construite pour accueillir l'empereur Hadrien lors de sa visite à Milet en 126 av. J.-C. Détruite par un tremblement de terre au XIe siècle, elle a été reconstituée par les archéologues allemands.

À savoir

- Évitez la cohue en venant tôt ou tard les jours de semaine.
- Contournez la file d'attente en achetant vos billets à l'avance sur Internet.
- Servez-vous de l'excellent audioguide (gratuit).
- Le Pergamon Pass (adulte/tarif réduit 18/15 €) donne accès au panorama de Pergame ainsi qu'aux expositions temporaires et permanentes du musée.
- Le forfait d'une journée de l'île des Musées (14/7 €) donne accès aux expositions permanentes du musée de Pergame, de l'Ancien Musée, du musée Bode, de l'Ancienne Galerie nationale et du Nouveau Musée.

Une petite faim ?

Reprenez des forces au **Cafe Pergamon** (plats 4-10 €), dans l'aile nord du musée.

À proximité, le Zwölf Apostel (p. 53) propose des pizzas le midi.

Porte d'Ishtar

Vous serez bouche bée devant la splendeur de la porte de Babylone, la voie des Processions et la façade de la salle du trône que fit construire le roi Nabuchodonosor II (604-562 av. J.-C.). L'ensemble est recouvert de briques vernissées aux teintes bleu cobalt et ocre. Les lions, les chevaux et les dragons qui représentent les principales divinités babyloniennes sont plus vrais que nature.

Stèle du Code de Hammurabi

Au XVIIIe s av. J.-C., le roi Hammurabi de Babylone décida d'affirmer son autorité en faisant graver un ensemble de décrets sur une imposante stèle, dont vous pouvez voir une reproduction dans la salle de Babylone (l'original est au Louvre). Malgré leurs lointaines origines, certaines des règles y figurant frappent par leur actualité, comme "œil pour œil, dent pour dent".

Palais de Mshatta

Lorsque le sultan ottoman Abdülhamid II voulut s'attirer les bonnes grâces de l'empereur Guillaume II, il lui fit un immense cadeau : la façade du palais de Mshatta (dans l'actuelle Jordanie), datant du VIIIe siècle. Chef-d'œuvre des débuts de l'art islamique, il représente des animaux et des créatures mythiques qui s'ébattent paisiblement au milieu d'une profusion de motifs floraux, en allusion au Jardin d'Éden.

Musée de Pergame

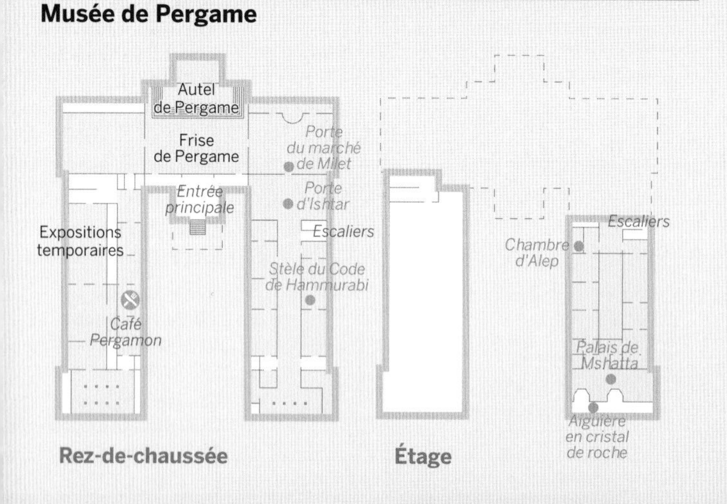

Comprendre

Patrimoine mondial

Les cinq musées de l'île des Musées ont été classés au patrimoine mondial par l'Unesco en 1999. Une distinction en partie obtenue grâce à un projet piloté par l'architecte britannique David Chipperfield qui prévoit de relier quatre des cinq musées grâce à un passage souterrain orné d'objets archéologiques. Un édifice contemporain à colonnes, la James-Simon-Galerie (du nom d'un philanthrope juif-allemand du début du XXe siècle), en marquera l'entrée. Pour en savoir plus, consultez le site www.museumsinsel-berlin.de.

Chambre d'Alep

À leur arrivée dans cette salle aux murs recouverts de panneaux de bois richement peints, les invités n'avaient aucun doute sur la fortune et le pouvoir de l'hôte des lieux, un marchand chrétien de la cité syrienne d'Alep au XVIIe siècle. Les décorations, sublimes quoique chargées, combinent motifs islamiques géométriques et floraux avec scènes courtoises et thèmes chrétiens. Si vous regardez attentivement, vous reconnaîtrez la Cène (devant vous, à droite de la porte).

Aiguière en cristal de roche

Le verre casse très facilement et c'est ce qui fait toute la rareté et la particularité de cette aiguière en cristal de roche venant d'Égypte, vieille de 1 000 ans et parfaitement conservée. Remarquez sa forme superbement équilibrée et la décoration complexe représentant des guépards enchaînés, symboles des califes fatimides. La monture en or émaillé date du XIXe siècle.

Expositions temporaires

Le musée de Pergame propose également des expositions temporaires de grande ampleur pour mettre en valeur ses vastes collections. D'autres événements sont organisés en relation avec ses collections antiques. Ainsi du **panorama de Pergame** (www.pergamon-panorama.de) qui a attiré les foules durant une année (septembre 2011-septembre 2012). Renseignez-vous avant de partir sur la programmation en cours et pensez à réserver.

Les incontournables
Nouveau Musée

Ruiné par la guerre, laissé à l'abandon puis finalement restauré par David Chipperfield, le Nouveau Musée (Neues Museum) abrite désormais l'exceptionnel Musée égyptien (avec la reine Néfertiti pour vedette) et le passionnant musée de la Préhistoire et de la Protohistoire. À l'instar d'un puzzle géant, l'architecte britannique a intégré à l'édifice tous les éléments de l'ancien monument qu'il a pu sauver. Ce mélange harmonieux de l'ancien et du moderne crée un espace où se juxtaposent à merveille cages d'escalier monumentales, salles à coupole, pièces ornées de fresques et hauts plafonds.

Plan p. 48, B3

www.neues-museum.de

Bodestrasse 1

adulte/tarif réduit 10/5 €

10h-18h dim-mer, 10h-20h jeu-sam

100, 200, TXL ; S-Bahn Hackescher Markt ; U-Bahn Friedrichstrasse ; M1, 12

Bas-relief égyptien dans le Nouveau Musée

À ne pas manquer

Néfertiti

Un rendez-vous avec la plus belle femme de Berlin, la reine Néfertiti, âgée de 3 330 ans – femme au long cou gracieux et à la beauté éternelle – est un must. Le buste faisait partie d'un trésor découvert par une équipe archéologique berlinoise en 1912 qui passait au crible les sables d'Armana, la cité royale que fit bâtir l'époux de Néfertiti, le roi Akhénaton.

Berliner Goldhut

Avec ses airs de chapeau de sorcier, le "Chapeau d'or de Berlin", vieux de 3 000 ans, devait sembler magique aux populations de l'âge de bronze. Le cône est entièrement recouvert de bandes ornées de minutieux symboles astrologiques censés aider les prêtres à calculer les mouvements du soleil et de la lune et, ainsi, déterminer la période idéale pour les plantations et les récoltes. C'est l'un des quatre exemplaires découverts dans le monde à ce jour.

Berliner Grüne Kopf

La "Tête verte de Berlin" (env. 400 av. J.-C.) est une pièce majeure de la basse époque égyptienne témoignant de l'influence grecque. Cette tête de prêtre chauve a été sculptée dans une pierre lisse de couleur verte. Le sculpteur n'a pas créé un portrait réaliste mais a plutôt cherché à exprimer un archétype de la sagesse et de l'expérience.

Collection troyenne

Parmi les antiquités troyennes découvertes par l'archéologue Heinrich Schliemann en 1870 près d'Hissarlik (actuelle Turquie), figurent notamment trois modestes jarres en argent. Beaucoup d'objets exposés (bijoux ouvragés, armes richement ornées, tasses en or...) sont des reproductions, les originaux pillés par les Soviétiques après la Seconde Guerre mondiale se trouvant toujours à Moscou.

À savoir

- Évitez la file d'attente en achetant vos billets à l'avance sur Internet.
- Les billets sont valables pour entrer dans un créneau horaire donné de 30 min.
- Des visites guidées (5 €) sur le thème de l'histoire et de l'architecture du musée ont lieu les jeudi et vendredi à 18h.
- Le forfait d'une journée pour l'île des Musées (14/7 €) donne accès au Nouveau Musée ainsi qu'à l'Ancien Musée, au musée Bode, à l'Ancienne Galerie nationale et au musée de Pergame.

Une petite faim ?

Avec son café corsé et ses en-cas maison, l'**Allegretto** (plats 2-9 €), le café du musée, ne désemplit pas.

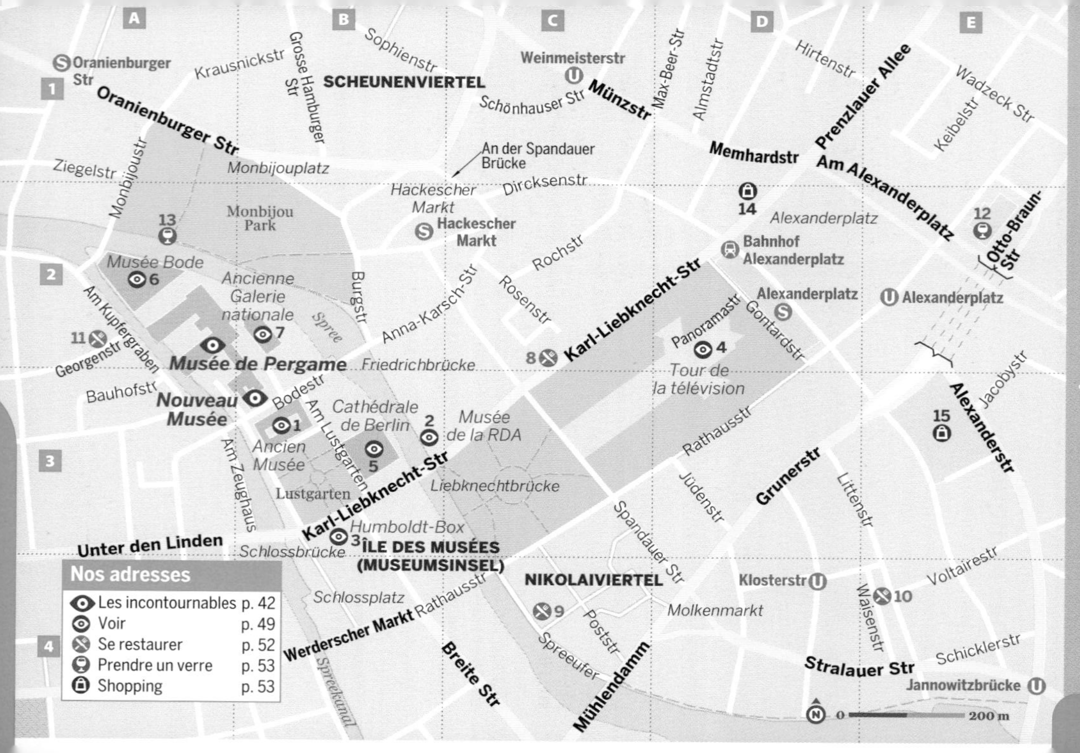

A
B
C
D
E
1
2
3
4
Oranienburger Str
Krausnickstr
Grosse Hamburger Str
Sophienstr
SCHEUNENVIERTEL
Weinmeisterstr
Schönhauser Str
Münzstr
Max-Beer-Str
Almstadtstr
Hirtenstr
Prenzlauer Allee
Wadzeck Str
Keibelstr
Oranienburger Str
Ziegelstr
Monbijoustr
Monbijouplatz
An der Spandauer Brücke
Memhardstr
Am Alexanderplatz
Hackescher Markt
Dircksenstr
14
Alexanderplatz
12
Otto-Braun-Str
13
Monbijou Park
Hackescher Markt
Rochstr
Bahnhof Alexanderplatz
Musée Bode
6
Ancienne Galerie nationale
Burgstr
Anna-Karsch-Str
Rosenstr
Karl-Liebknecht-Str
Alexanderplatz
Alexanderplatz
Am Kupfergraben
11
Spree
7
Panoramastr
Gontardstr
Georgenstr
Musée de Pergame
Friedrichbrücke
8
4
Tour de la télévision
Bauhofstr
Nouveau Musée
Bodestr
Cathédrale de Berlin
Am Lustgarten
1
2
Musée de la RDA
Rathausstr
Jacobystr
15
Alexanderstr
Ancien Musée
5
Am Zeughaus
Lustgarten
Karl-Liebknecht-Str
Liebknechtbrücke
Jüdenstr
Grunerstr
Littenstr
Humboldt-Box
3
Unter den Linden
Schlossbrücke
ÎLE DES MUSÉES (MUSEUMSINSEL)
Spandauer Str
NIKOLAIVIERTEL
Klosterstr
10
Voltairestr
Schlossplatz
Werderscher Markt
Rathausstr
9
Molkenmarkt
Poststr
Waisenstr
Spreeufer
Breite Str
Mühlendamm
Stralauer Str
Schicklerstr
Jannowitzbrücke
Spreekanal
0
200 m
Nos adresses
Les incontournables p. 42
Voir p. 49
Se restaurer p. 52
Prendre un verre p. 53
Shopping p. 53

Voir

Ancien Musée

ANTIQUITÉS

1 Plan p. 48, B3

C'est à Karl Friedrich Schinkel que l'on doit ce majestueux musée doté d'une imposante façade à colonnes et d'une rotonde évoquant le Panthéon de Rome. On peut y admirer une collection d'art grec, étrusque et romain. Une statue représentant une déesse de Tarente en position assise se démarque des nombreux vases, bronzes, bas-reliefs de tombeaux, armes et bijoux remontant jusqu'à la civilisation minoenne, il y a 6 000 ans. Réservé aux adultes : le "cabinet érotique", à l'étage. (Altes Museum ; www.smb.museum ; Am Lustgarten ; adulte/tarif réduit 8/4 € ; 10h-18h, 10h-22h jeu ; S-Bahn Hackescher Markt ; 100, 200, TXL)

Musée de la RDA

MUSÉE

2 Plan p. 48, B3

Quelle était la vie quotidienne en Allemagne de l'Est ? C'est ce que révèle avec brio ce musée interactif, où vous pourrez vous glisser derrière le volant d'une Trabant, fouiller dans un cartable, regarder la télé est-allemande et découvrir pourquoi on mettait tous les bébés sur le pot en même temps. (DDR Museum ; www.ddr-museum.de ; Karl-Liebknecht-Strasse 1 ; adulte/tarif réduit 6/4 € ; 10h-20h , j10h-22h sam ; 100, 200, TXL)

Humboldt-Box

MUSÉE

3 Plan p. 48, B3

Cet édifice de forme étrange dévoile en avant-première le futur palais royal de Berlin, qui portera le nom de Humboldt-Forum. À l'intérieur de la Humboldt-Box, un film présente tous les futurs résidents – le musée d'Ethnologie, le musée des Arts asiatiques et la bibliothèque centrale – ainsi qu'une maquette extraordinairement détaillée du centre historique de Berlin. Superbe vue depuis la terrasse à l'étage. (www.humboldt-box.com ; Schlossplatz ; adulte/tarif réduit 4/2,50 € ; 10h-20h ; 100, 200, TXL)

Comprendre

La reconstruction du palais royal de Berlin

En 2014 débutera sur la Schlossplatz le projet de construction à vocation culturelle le plus coûteux, le plus ambitieux... et le plus controversé d'Allemagne : la reconstruction du palais royal de Berlin, qui occupa le vaste espace vide (désormais surplombé par la Humboldt-Box) pendant près de 500 ans. Bien qu'à peine endommagé par la guerre, le gouvernement de la RDA démolit l'édifice en 1951. Il fut remplacé par un bâtiment polyvalent bourré d'amiante, le Palast der Republik, à son tour démoli en 2008. La réplique de l'ancien château, qui possédera une façade historique mais un intérieur moderne, abritera le Humboldt-Forum, un centre culturel (musées, expositions...).

Tour de la télévision MONUMENT

4 Plan p. 48, D2

Symbole de Berlin, la tour de la télévision – l'édifice le plus haut d'Allemagne – s'élève à 368 m depuis 1969. Par beau temps, la vue du haut de la plate-forme panoramique est magnifique. Savourez-la – un verre à la main – dans le bar-restaurant au charme désuet qui tourne lentement sur lui-même. Le billet VIP fonctionne comme un coupe-file. (Fernsehturm ; www.tv-turm.de ; Panoramastrasse 1a ; adulte/enfant 11/7 €, VIP 19,50/11,50 € ; 9h-24h mars-oct, 10h-24h nov-fév ; U-/S-Bahn Alexanderplatz)

Cathédrale de Berlin ÉGLISE

5 Plan p. 48, B3

Majestueuse, voire pompeuse, l'ancienne église (1905) de la famille royale prussienne fait aujourd'hui office de lieu de culte, de musée et de salle de concert. Ne manquez pas l'orgue Sauer aux 7 269 tuyaux ni les sarcophages ouvragés réalisés pour différents membres de la famille royale. Grimpez les 267 marches menant à la galerie extérieure pour profiter d'une superbe vue sur la ville. (Berliner Dom ; www.berliner-dom.de ; Am Lustgarten ; adulte/enfant/tarif réduit 7 €/gratuit/4 €, audioguide 3 €; 9h-20h lun-sam, 12h-20h dim avr-sept, jusqu'à 19h oct-mars ; 100, 200, TXL)

À savoir

Croisières touristiques

Une agréable façon de découvrir Berlin d'avril à octobre – et de s'octroyer une pause entre deux musées – consiste à le faire depuis le pont extérieur d'un bateau de croisière fluviale. Plusieurs compagnies organisent des balades d'une heure sur la Spree (9 € environ) à travers le centre de la ville depuis les débarcadères juste au nord de l'île des Musées. Sirotez un verre tandis qu'un guide vous abreuve d'infos (en anglais et en allemand) alors que vous passez devant les édifices anciens, les bars de plage et le quartier du gouvernement.

Musée Bode ARTS ET ANTIQUITÉS

6 Plan p. 48, A2

Ce bijou néobaroque de l'île des Musées recèle des œuvres byzantines, 2 700 ans de monnaies et, surtout, une inestimable collection de sculptures européennes d'artistes tels que Donatello, Bernin et Tilman Riemenschneider. (Bodemuseum ; www.smb.museum ; Am Kupfergraben 1 ; adulte/tarif réduit 8/4 € ; 10h-18h, 10h-22h jeu ; S-Bahn Hackescher Markt, Oranienburger Strasse)

Ancienne Galerie nationale ART EUROPÉEN

7 Plan p. 48, B2

Cet édifice de l'île des Musées inspiré d'un temple grec présente une remarquable collection d'art européen du XIXe siècle. Parmi les chefs-d'œuvre exposés figurent les paysages mystiques de Caspar David Friedrich, les portraits de Max Liebermann et les glorifications épiques de la puissance militaire prussienne d'Adolph Menzel.

Comprendre
Berlin la rouge : la vie en RDA

Deux Allemagnes

Suite aux désaccords entre les Alliés, les trois zones occidentales se réunirent pour former en 1949 la République fédérale allemande (RFA), avec Bonn pour capitale, et la zone soviétique devint la République démocratique allemande (RDA) avec Berlin-Est pour capitale. Malgré le nom de cette dernière, un seul parti – le Sozialistische Einheitspartei Deutschlands (SED ; Parti socialiste unifié d'Allemagne) – contrôla la vie politique jusqu'en 1989. Berlin fut divisé sur le modèle du reste du pays.

La Stasi

Afin de réprimer toute opposition, les autorités de la RDA mirent en place le ministère de la Sécurité d'État (Stasi) en 1950 et placèrent des millions de leurs citoyens sous surveillance. Mise sur écoute, surveillance vidéo et ouverture du courrier privé étaient quelques-unes de leurs méthodes. Les opposants au régime, soupçonnés ou avérés, finissaient souvent dans les prisons de la Stasi. Celle-ci devint de plus en plus puissante, jusqu'à compter 91 000 agents officiels et 173 000 informateurs. Ces derniers étaient recrutés parmi les gens ordinaires pour espionner leurs collègues, leurs amis, leur famille et leurs voisins, ainsi que parmi les Allemands de l'Ouest.

Difficultés économiques et construction du Mur

Dans les années 1950, tandis que l'Allemagne de l'Ouest prospérait grâce au plan Marshall, un programme américain d'aide économique, l'Allemagne de l'Est stagnait, en partie à cause du maintien de la politique soviétique de démontage des usines (ensuite expédiées vers l'URSS) et de paiement des réparations. Alors que le fossé économique se creusait, une multitude d'Allemands de l'Est, jeunes et diplômés pour la plupart, décidèrent de chercher un avenir à l'Ouest, fragilisant davantage encore l'économie. La construction du mur de Berlin, en 1961, avait pour but de stopper l'exode. (Pour en savoir plus sur le sujet, lire p. 65.)

La nomination d'Erich Honecker en 1971 ouvrit la voie à un rapprochement avec l'Ouest. Honecker se conforma à la politique soviétique, mais son approche économique améliora la situation est-allemande, et finit par mener à l'effondrement du régime et à la chute du Mur en novembre 1989.

(Alte Nationalgalerie ; www.smb.museum ; Bodestrasse 1-3 ; adulte/tarif réduit avec audioguide 10/5 € ; 10h-18h mar-mer et ven-dim, 10h-22h jeu ; S-Bahn Hackescher Markt ; 100, 200, TXL)

Se restaurer

.HBC INTERNATIONAL €€€

8 Plan p. 48, C2

Ce lieu polyvalent (bar-galerie-concert-fête) installé dans l'ancien centre culturel hongrois possède aussi un bon restaurant qui attire les aventuriers de la gastronomie avec d'audacieux mariages de saveurs (imaginez un flan de foie gras ou une poêlée de poulpes, chorizo et porto). Imprégnez-vous de l'atmosphère rétro communiste tout en regardant la tour de la télévision par les baies vitrées. (2434 2920 ; www.hbc-berlin.de ; Karl-Liebknecht-Strasse 9 ; plats 15-18 € ; à partir de 19h lun-sam ; U-/S-Bahn Alexanderplatz)

Brauhaus Georgbräu INTERNATIONAL €€

9 Plan p. 48, C4

Chaleureuse bien qu'assez touristique, cette brasserie est le seul endroit où vous pourrez boire de la Georg Pils, une bière brassée sur place. L'hiver, l'intérieur à dominante bois est parfait pour déguster un copieux goulash à la berlinoise ou un Eisbein (jarret de porc), tandis que l'été, le Biergarten en bordure de rivière vous ouvre les bras. (www.georgbraeu.de ; Spreeufer 4 ; plats 10-14 € ; U-/S-Bahn Alexanderplatz)

Zur Letzten Instanz ALLEMAND €€

10 Plan p. 48, E4

Appréciée pour son atmosphère très Vieux Berlin, cette adresse rustique, dont le succès ne se dément pas depuis son ouverture en 1621 (quand même !), a régalé nombre de célébrités de toutes les époques, de Napoléon à Angela Merkel en passant par Beethoven. Les spécialités servies ici sont des valeurs sûres, notamment le *Grillhaxe* (jarret de porc grillé) et les *Bouletten* (boulettes de viande). (242 5528 ; www.zurletzteninstanz.de ; Waisenstrasse 14-16 ; lun-sam ; U-Bahn Klosterstrasse)

Cathédrale de Berlin et tour de la TV (p. 50)

Zwölf Apostel

PIZZERIA €€

11 Plan p. 48, A2

Cette pizzeria installée sous les arches du chemin de fer est parfaite pour une pause entre deux musées. Dans un décor religieux kitsch, on y sert des pizzas à pâte fine au nom des 12 apôtres (toutes à 6,95 € de 11h30 à 16h, du lundi au vendredi). (www.12-apostel.de, en allemand ; Georgenstrasse 2 ; plats 8-18 € ; U-/S-Bahn Friedrichstrasse ; M1, 12)

Prendre un verre

Weekend

CLUB

12 Plan p. 48, E2

La clientèle jeune et sexy se déchaîne sur les mix de DJ renommés dans ce haut lieu de la techno et de la house. Observer le lever du soleil depuis le bar sur le toit est une expérience estivale transcendante, et même l'Alexanderplatz semble resplendissante à travers l'immense baie vitrée panoramique du 12e étage. À l'opposé, on peut faire comme si la nuit ne devait jamais se terminer dans la grotte de chauves-souris couleur encre du 15e étage. (www.week-end-berlin.de ; Am Alexanderplatz 5 ; jeu-sam ; U-/S-Bahn Alexanderplatz)

Strandbar Mitte

BIERGARTEN

13 Plan p. 48, A2

Dans ce bar de plage, l'un des plus anciens de Berlin, le sable a hélas ! été remplacé par du bitume, mais le cadre en bordure de rivière et la vue imprenable sur le musée Bode, situé sur l'île des Musées, continuent d'en faire un lieu de prédilection durant l'été. On peut y grignoter des pizzas à pâte fine et voir des pièces de théâtre comiques dans l'amphithéâtre attenant. (www.strandbar-mitte.de ; Monbijoustrasse 3 ; à partir de 10h avr-sept ; S-Bahn Hackescher Markt)

Shopping

Ausberlin

CADEAUX, SOUVENIRS

14 Plan p. 48, D2

“Made in Berlin” : c'est la devise de cette boutique sans prétention où vous trouverez le dernier CD de BPitch ou d'Ostgut, d'originaux T-shirts Kotti D'Azur de la marque Muschi Kreuzberg, un oreiller Bar 25 et toutes sortes de souvenirs créés par des marques branchées dans la belle capitale allemande. (www.ausberlin.de, en allemand ; Karl-Liebknecht-Strasse 17 ; 10h-19h lun-sam ; U-/S-Bahn Alexanderplatz)

Alexa

GALERIE COMMERCIALE

15 Plan p. 48, E3

Les accros au shopping adorent cette immense galerie commerciale près de l'Alexanderplatz. Outre les grandes enseignes habituelles, elle abrite une boutique du rappeur allemand Bushido ainsi que Loxx, la plus grande maquette de train au monde. Cerise sur le gâteau : un bon espace restauration. (www.alexacentre.com, en allemand ; Grunerstrasse 20 ; 10h-21h lun-sam ; U-/S-Bahn Alexanderplatz)

Explorer

Potsdamer Platz

Malgré son nom, la Potsdamer Platz n'est pas seulement une place : c'est aussi le quartier le plus récent de Berlin, qui a vu le jour dans les années 1990 sur un espace que le mur de Berlin scindait en deux. C'est une vitrine du renouveau urbain orchestré par les plus grands architectes. À deux pas de là, ne manquez pas le Kulturforum, un ensemble de prestigieux musées et salles de concert – dont la réputée Philarmonie.

L'essentiel en un jour

Démarrez la journée par des croissants au beurre et de la confiture maison au **Desbrosses** (p. 66), puis prenez l'ascenseur le plus rapide d'Europe jusqu'au **Panoramapunkt** (p. 61) pour jouir d'une vue panoramique sur les monuments de Berlin. Jetez un œil aux boutiques des **Potsdamer Platz Arkaden** (p. 67) tandis que vous cheminez vers la **Pinacothèque** (p. 56) pour votre rendez-vous avec Rembrandt et ses pairs. Une fois votre capacité d'attention épuisée, retournez à la Potsdamer Platz et joignez-vous à l'armée des cols blancs pour un délicieux déjeuner au **Qiu** (p. 66).

Ainsi revigoré, il est temps d'aller regarder de plus près l'architecture futuriste du **Sony Center** (photo ci-contre ; p. 61). Consacrez votre après-midi à comprendre les périodes les plus sombres de l'histoire allemande, en visitant la **Topographie de la terreur** (p. 63) consacrée à la période nazie, puis **Checkpoint Charlie** (p. 63), haut lieu de la guerre froide. Après cela, vous devriez avoir envie de vous détendre devant un verre, alors dirigez-vous vers le **Solar** (p. 66) dont vous goûterez aussi la vue.

Dînez de bonne heure au **Vapiano** (p. 66), puis clôturez la journée par un peu de culture en assistant à un concert de musique classique à la **Philharmonie** (p. 67).

Les incontournables

Potsdamer Platz (p. 60)

Pinacothèque (p. 56)

Le meilleur du quartier

Sites historiques

Topographie de la terreur (p. 63)

Mémorial de la Résistance allemande (p. 64)

Checkpoint Charlie (p. 63)

Art

Pinacothèque (p. 56)

Nouvelle Galerie nationale (p. 64)

Daimler Contemporary (p. 61)

Concerts

Philharmonie (p. 67)

Comment y aller

Bus Le n°200 rejoint Potsdamer Platz depuis Zoologischer Garten et Alexanderplatz, le M41 depuis la Hauptbahnhof et le M29 depuis Checkpoint Charlie.

S-Bahn Les S1 et S2 s'arrêtent à Potsdamer Platz.

U-Bahn Si vous prenez le U2, descendez à Potsdamer Platz ou Mendelssohn-Bartholdy-Park.

Les incontournables
Pinacothèque

Depuis son ouverture en 1998, la Pinacothèque (Gemäldegalerie) réunit dans un espace du Kulturforum taillé sur mesure une remarquable collection de tableaux d'artistes européens divisée par la guerre froide durant un demi-siècle. Ces quelque 1 500 œuvres offrent un vaste aperçu de la peinture du XIIIe siècle au XVIIIe siècle. Les salles, qui s'articulent autour du hall central de la taille d'un terrain de football, recèlent des productions majeures de Rembrandt, Titien, Goya, Botticelli, Holbein, Gainsborough, Canaletto, Hals, Rubens, Vermeer et autres grands maîtres de la peinture.

Plan p. 62, A3

www.smb.museum

Matthaïkirchplatz 8

adulte/tarif réduit 8/4 €

10h-18h mar-mer et ven-dim, 10h-22h jeu

U-/S-Bahn Potsdamer Platz ; M29, 200

Les Proverbes flamands (1559) de Pieter Bruegel l'Ancien

À ne pas manquer

L'Amour victorieux (1602-1603)

SALLE XIV

Comme il semble effronté, ce garçon qui regarde les visiteurs ! Ne portant rien d'autre qu'un sourire malicieux, une paire d'ailes noires et une poignée de flèches, ce Cupidon-là ne plaisante pas. Dans ce célèbre tableau, le Caravage montre son talent à représenter les objets avec un réalisme presque photographique qu'il atteint par une utilisation théâtrale et ingénieuse du clair-obscur.

Les Proverbes flamands (1559)

SALLE 7

Par ce tableau plein d'humour, quoique moralisateur, le peintre de la Renaissance flamande Pieter Bruegel l'Ancien a voulu illustrer plus de 100 proverbes et expressions dans une seule scène de village en bord de mer. Alors que certains soulignent l'absurdité du comportement de l'homme, d'autres révèlent son imprudence et son immoralité. Certaines locutions sont toujours usitées aujourd'hui, comme “nager à contre-courant” et “être armé jusqu'aux dents”.

Portrait de Hieronymus Holzschuher (1526)

SALLE 2

Hieronymus Holzschuher était un noble de Nuremberg, engagé dans la vie de la cité et ardent partisan de la Réforme. Il était également l'ami d'un des plus grands peintres de la Renaissance allemande, Albrecht Dürer. Dans ce portrait, l'artiste représente les traits de Holzschuher, alors âgé de 57 ans, avec une extrême précision, jusqu'aux rides et aux cheveux clairsemés.

La Dame au collier de perles (1662-1664)

SALLE 18

Non, il ne s'agit pas de *La Jeune Fille à la perle* qui a fait l'objet d'un livre et d'un film à succès,

À savoir

- Profitez de l'excellent audioguide (gratuit) pour bénéficier de commentaires sur une sélection d'œuvres.
- La visite des 72 salles couvrant près de 2 km, prévoyez au moins deux heures et des chaussures confortables.
- Entrée gratuite pour les moins de 18 ans.
- Un billet pour la Pinacothèque permet de visiter le même jour la collection permanente des autres musées du Kulturforum.

Une petite faim ?

À l'étage, la cafétéria du musée propose un buffet de salades, des plats cuisinés (environ 6 €) ainsi que des boissons chaudes et froides.

À quelques minutes de marche de la Potsdamer Platz, vous trouverez le Weilands Wellfood (p. 66) et plusieurs autres adresses où manger.

mais d'un autre tableau célèbre de Johannes Vermeer : on y voit une jeune femme qui se regarde dans un miroir en mettant un collier de perles autour du cou. Vermeer, et sa précision quasi naturaliste, hypnotise les visiteurs en capturant admirablement ce moment intime par des légers coups de pinceau caractéristiques de son style.

La Fontaine de Jouvence (1546)

SALLE III

Ce poignant tableau de Lucas Cranach l'Ancien illustre le désir de jeunesse éternelle de l'humanité. Des vieillardes entrent dans un bassin empli d'eau et en ressortent transformées en superbes jeunes filles – cette fontaine, si elle existait, signerait à coup sûr la fin de la chirurgie esthétique. Cette transition se reflète également dans le paysage : désolé et escarpé sur la gauche, luxuriant et fertile sur la droite.

Malle Babbe (1633)

SALLE 13

Frans Hals capture ingénieusement le caractère et la vitalité de son sujet, "Barbara la folle", par des coups de pinceau détachés. Hals rencontra cette femme au rire presque démoniaque dans l'hospice pour malades mentaux où son fils Pieter était placé. La cruche en étain et le hibou symbolisent le penchant de Babbe pour la boisson.

Léda et le Cygne (1532)

SALLE XVI

À en juger par l'expression de béatitude de son visage, Léda passe un moment

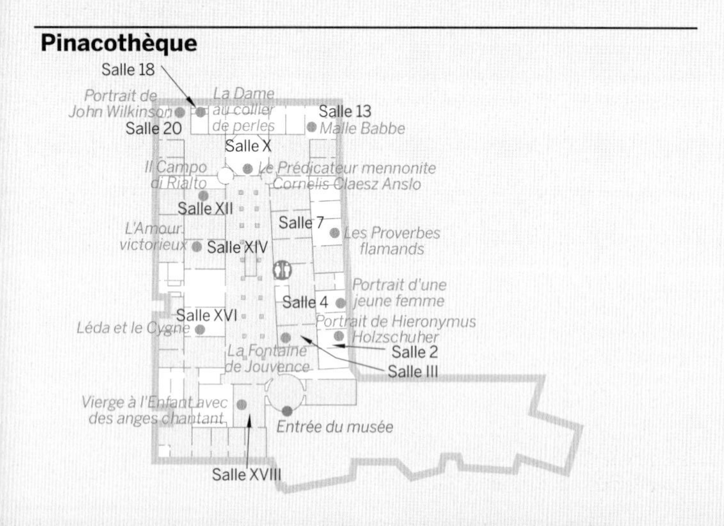

agréable avec ce cygne qui, selon la mythologie grecque, n'est autre que Zeus. La charge érotique de ce tableau, réalisé par l'artiste de la Renaissance italienne le Corrège, mit Louis, le duc d'Orléans, dans une telle colère qu'il découpa la tête de Léda avec un couteau. Il fut plus tard restauré par Jacob Schlesinger.

Portrait d'une jeune femme (1470)

SALLE 4

Berlin aussi possède sa *Joconde* : elle n'est certes pas aussi célèbre que l'originale mais n'en demeure pas moins fascinante. Quelle est cette femme aux yeux en amande et à la peau de porcelaine qui nous regarde droit dans les yeux ? Petrus Christus n'a pas livré le secret de son seul portrait de femme.

Vierge à l'Enfant avec des anges chantant (1477)

SALLE XVIII

Ce tableau circulaire (un format appelé *tondo*) de l'artiste de la Renaissance Sandro Botticelli est une composition symétrique représentant Marie au centre entourée de chaque côté par quatre anges dépourvus d'ailes. C'est un moment intime qui montre la Vierge étreignant tendrement son enfant – et peut-être même sur le point de lui donner le sein. Les lys blancs symbolisent sa pureté.

Le Prédicateur mennonite Cornelis Claesz Anslo (1641)

SALLE X

Chef-d'œuvre de la superbe collection de Rembrandt détenue par la Pinacothèque, cette grande toile montre le marchand de tissu et prédicateur mennonite Anslo en conversation avec sa femme. L'énorme Bible ouverte et la main en mouvement d'Anslo, sortant du centre du tableau avec un effet de relief, sont censées souligner la force de ses convictions religieuses.

Portrait de John Wilkinson (1775)

SALLE 20

On voit rarement les œuvres de Thomas Gainsborough en dehors du Royaume-Uni, et c'est ce qui rend ce portrait de l'industriel britannique John Wilkinson si intéressant. Surnommé “Iron Mad Wilkinson” pour avoir été le premier à fabriquer et utiliser la fonte, il est ici représenté – de façon quelque peu ironique – dans la nature, se fondant presque dans le décor.

Il Campo di Rialto (1758-1763)

SALLE XII

Giovanni Antonio Canal, alias Canaletto, étudia la peinture dans l'atelier de son père, décorateur de théâtre. Ici, il représente le Campo di Rialto, la place bordée d'arcades du principal marché de Venise, sa ville natale, avec une précision et une perspective stupéfiantes. Regardez les ateliers d'orfèvrerie sur la gauche, les marchands coiffés de perruque au centre et les échoppes vendant tableaux et meubles sur la droite.

Les incontournables
Potsdamer Platz

Version moderne de ce qui fut dans les années 1920 l'équivalent berlinois du Times Square new-yorkais – jusqu'à son agonie pendant la Seconde Guerre mondiale – la Potsdamer Platz s'organise autour de trois pôles : DaimlerCity et sa vaste galerie commerciale, ses sculptures contemporaines et ses prestigieuses salles de spectacle ; le rutilant Sony Center, construit autour d'un atrium surmonté d'un chapiteau de verre qui s'illumine d'une myriade de couleurs la nuit ; et le Beisheim Center, plus discret, dont les lignes rappellent l'architecture classique des gratte-ciel américains.

Plan p. 62, C2

www.potsdamerplatz.de

U-/S-Bahn Potsdamer Platz

Toit du Sony Center de nuit

À ne pas manquer

Panoramapunkt

L'**ascenseur** (www.panoramapunkt.de ; Potsdamer Platz 1 ; adulte/tarif réduit 5,50/4 € ; 10h-20h) le plus rapide du monde va et vient le long du Kollhof Building, un bâtiment postmoderne en brique rouge. Depuis la plate-forme d'observation haute de 100 m, un panorama de 360 degrés vous attend. Découvrez les moments-clés de l'histoire de la Potsdamer Platz en visitant l'exposition, puis détendez-vous autour d'une boisson dans le café attenant.

Sony Center

Devant le spectaculaire Sony Center de Helmut Jahn, s'élève une tour en verre et en acier de 26 étages qui comprend de rares vestiges de la Potsdamer Platz d'avant-guerre. Parmi eux, une partie du Grand Hôtel Esplanade et de la somptueuse Kaisersaal, qui a été déplacée jusqu'à son emplacement actuel. La place centrale, bordée de cafés, est un lieu idéal pour observer l'activité.

Musée du Cinéma et de la Télévision

Ce **musée** (Museum für Film und Fernsehen ; www.deutsche-kinemathek.de ; adulte/tarif réduit 6/4,50 € ; 10h-18h mar-mer et ven-dim, 10h-20h jeu) du Sony Center retrace l'histoire de la télévision et du cinéma allemands. Les salles consacrées aux pionniers du 7e art (tel Fritz Lang), aux œuvres marquantes, aux Allemands exilés à Hollywood et à Marlène Dietrich sont les plus intéressantes.

Weinhaus Huth

La Weinhaus Huth (1912) fut l'un des premiers bâtiments de la ville à structure d'acier et c'est le seul édifice de la Potsdamer Platz à être sorti intact de la guerre. Au dernier étage, la **Daimler Contemporary** (www.sammlung.daimler.com ; gratuit ; 11h-18h) présente des œuvres d'art contemporaines. Sonnez pour entrer.

À savoir

- Devant l'entrée de la station Potsdamer Platz subsistent des segments du Mur.
- Des sculptures de Keith Haring, Robert Rauschenberg et autres artistes contemporains émaillent le quartier.
- Rendez-vous au Caffé & Gelato des Potsdamer Platz Arkaden pour déguster une exquise glace italienne (p. 67).
- De septembre à juin, des concerts de musique classique gratuits ont lieu à 13h à la Philharmonie, non loin de là (p. 67).
- Pour rencontrer des célébrités, venez en février lorsque la Potsdamer Platz accueille la Berlinale, un festival de cinéma.

Une petite faim ?

Rendez-vous au Qiu (p. 66) pour un déjeuner dans un cadre élégant.

Si vous êtes pressé, essayez les fast-foods au sous-sol des Potsdamer Platz Arkaden (p. 67).

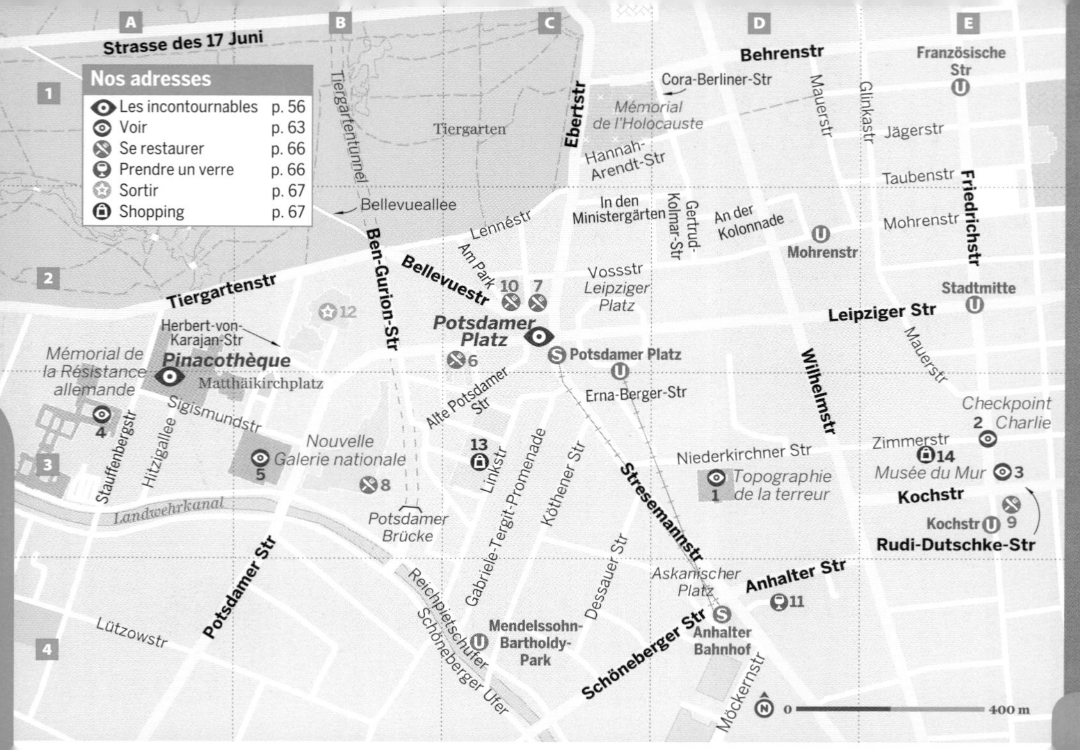

Nos adresses
Les incontournables p. 56
Voir p. 63
Se restaurer p. 66
Prendre un verre p. 66
Sortir p. 67
Shopping p. 67
Strasse des 17 Juni
Tiergarten
Tiergartentunnel
Bellevueallee
Ben-Gurion-Str
Tiergartenstr
Herbert-von-Karajan-Str
Mémorial de la Résistance allemande
Pinacothèque
Matthäikirchplatz
Sigismundstr
Hitzigallee
Stauffenbergstr
Landwehrkanal
Nouvelle Galerie nationale
Potsdamer Str
Lützowstr
Potsdamer Brücke
Reichpietschufer
Schöneberger Ufer
Mendelssohn-Bartholdy-Park
Gabriele-Tergit-Promenade
Linkstr
Alte Potsdamer Str
Potsdamer Platz
Bellevuestr
Am Park
Lennéstr
Köthener Str
Dessauer Str
Schöneberger Str
Stresemannstr
Askanischer Platz
Anhalter Bahnhof
Möckernstr
Anhalter Str
Erna-Berger-Str
Leipziger Platz
Vossstr
In den Ministergärten
Hannah-Arendt-Str
Ebertstr
Mémorial de l'Holocauste
Cora-Berliner-Str
Gertrud-Kolmar-Str
An der Kolonnade
Behrenstr
Mauerstr
Glinkastr
Mohrenstr
Wilhelmstr
Niederkirchner Str
Topographie de la terreur
Leipziger Str
Zimmerstr
Musée du Mur
Checkpoint Charlie
Kochstr
Rudi-Dutschke-Str
Stadtmitte
Friedrichstr
Taubenstr
Jägerstr
Französische Str
0
400 m

Voir

Topographie de la terreur MUSÉE

1 Plan p. 62, D3

À l'endroit même où siégeaient autrefois les institutions les plus redoutées de l'Allemagne nazie (dont le quartier général de la Gestapo et celui de la SS), cette excellente exposition dissèque la structure de l'État nazi et retrace la mise en place des persécutions et d'un véritable régime de terreur. Elle met un visage sur les acteurs et détaille l'impact qu'eurent ces sinistres institutions sur toute l'Europe. (Topographie des Terrors ; www.topographie.de ; Niederkirchner Strasse 8 ; gratuit ; 10h-20h ; U-/S-Bahn Potsdamer Platz)

Checkpoint Charlie SITE HISTORIQUE

2 Plan p. 62, E3

Principal point de passage entre Berlin-Ouest et Berlin-Est pour les Allemands, les étrangers et les diplomates entre 1961 et 1990, ce symbole de la guerre froide est hélas ! devenu un piège à touristes, avec ses comédiens en uniforme posant devant une fausse guérite pour quelques euros. En revanche, l'exposition gratuite en plein air sur les années de la guerre froide est très intéressante. (angle Friedrichstrasse et Zimmerstrasse ; U-Bahn Kochstrasse)

Musée du Mur MUSÉE

3 Plan p. 62, E3

Véritable aimant à touristes, ce musée privé dresse une chronique intéressante quoique désordonnée de la guerre froide, en mettant l'accent sur l'histoire du Mur. On reste captivé devant les trésors d'ingéniosité déployés par les citoyens de la RDA pour passer à l'Ouest : montgolfières, tunnels, voitures à compartiment secret et même un sous-marin pour une personne ! Le tarif du musée est tout de même exagéré.

Bon plan

Le Kulturforum

Outre la Pinacothèque (p. 56) et la Nouvelle Galerie nationale (p. 64), le Kulturforum comprend trois autres musées de premier ordre : le **cabinet des Estampes** (Kupferstichkabinett ; plan p. 62, B3 ; www.smb.museum ; Matthäikirchplatz), qui concerve des gravures et des dessins remontant jusqu'au XIVe siècle ; le **musée des Instruments de musique** (Musikinstrumenten-Museum ; plan p. 62, B2 ; www.sim.spk-berlin.de, en allemand ; Tiergartenstrasse 1), qui expose des instruments historiques rares ; et le **musée des Arts décoratifs** (Kunstgewerbemuseum ; plan p. 62, B2 ; www.smb.museum ; Matthäikirchplatz), fermé pour rénovation. Un billet pour l'un des musées permet de visiter le même jour la collection permanente des quatre autres.

Checkpoint Charlie (p. 63)

(Mauermuseum ; www.mauermuseum.de ; Friedrichstrasse 43-45 ; adulte/tarif réduit 12,50/9,50 € ; 9h-22h ; U-Bahn Kochstrasse)

Mémorial de la Résistance allemande MUSÉE

4 Plan p. 62, A3

Cette importante exposition sur la Résistance allemande au régime nazi occupe le lieu où des officiers de haut rang menés par Claus Schenk, comte de Stauffenberg, planifièrent la tentative d'assassinat contre Hitler du 20 juin 1944. Un mémorial leur est dédié dans la cour intérieure, là où ils furent fusillés juste après leur tentative manquée. Le film *Walkyrie* (2008) leur est consacré. (Gedenkstätte Deutscher Widerstand ; www.gdw-berlin.de ; Stauffenbergstrasse 13-14 ; gratuit ; 9h-18h lun-mer et ven, 9h-20h jeu, 10h-18h sam-dim ; U-/S-Bahn Potsdamer Platz ; M29)

Nouvelle Galerie nationale MUSÉE

5 Plan p. 62, B3

Baigné de lumière, ce temple de verre conçu par Ludwig Mies van der Rohe abrite une collection d'art du XXe siècle, dont des œuvres majeures de Picasso, Max Beckmann et Gerhard Richter mais aussi un remarquable ensemble d'œuvres d'expressionnistes allemands. (Neue Nationalgalerie ; www.smb.museum ; Potsdamer Strasse 50 ; adulte/tarif réduit 8/4 € ; 10h-18h mar-mer et ven-dim, 10h-22h jeu ; U-/S-Bahn Potsdamer Platz ; 200, M29)

Comprendre

Le mur de Berlin

Ironie de l'histoire, le site touristique le plus célèbre de la capitale est un monument qui n'existe plus, ou presque. Durant 28 ans, rien n'a plus fortement symbolisé la guerre froide que le mur de Berlin, qui non seulement divisait la ville, mais aussi le monde.

Les prémices

Sa construction débuta peu après minuit le 13 août 1961, lorsque des soldats est-allemands commencèrent à encercler Berlin-Ouest de barbelés, bientôt remplacés par du béton. Mesure de la dernière chance des autorités de la RDA, le Mur devait mettre un terme à l'exode qui avait déjà privé l'Allemagne de l'Est de 3,6 millions de personnes depuis 1949, cette fuite de main-d'œuvre menaçant l'équilibre économique et politique du pays.

La frontière physique

Baptisé euphémiquement "barrière de protection antifasciste", le mur de Berlin fut sans cesse renforcé et amélioré. À la fin, il était composé de deux murs entre lesquels courait une bande de territoire (le "couloir de la mort") pourvue de fossés, projecteurs, routes de patrouille, clôtures électrifiées et de miradors occupés par des gardes ayant l'ordre de tirer pour tuer.

Près de 100 000 citoyens de la RDA tentèrent de fuir, beaucoup utilisant de spectaculaires engins, comme des montgolfières artisanales ou des sous-marins. Il n'existe pas de chiffre exact, mais on estime que des centaines de personnes ont péri ainsi.

La fin

La chute du Mur fut aussi soudaine que sa construction. De nouveau, les habitants de la RDA fuyaient le pays, cette fois par la Hongrie, qui venait d'ouvrir sa frontière avec l'Autriche. De grandes manifestations se déroulaient à Berlin-Est regroupant jusqu'à un demi-million de personnes sur l'Alexanderplatz début novembre 1989. Le changement était inévitable. Et le 9 novembre, lorsqu'un porte-parole de la RDA annonça par erreur lors d'une conférence de presse en direct à la télévision que toutes les restrictions aux déplacements vers l'Ouest étaient levées, des scènes de liesse indescriptibles signèrent les retrouvailles des deux parties de Berlin.

Aujourd'hui, il ne reste du Mur qu'un vestige de 1,5 km de long tandis que son tracé est signalé sur le sol par une double rangée de pavés.

Se restaurer

Qiu
INTERNATIONAL **€€**

6 Plan p. 62, C2

Au lounge-bar du Mandala Hotel, la formule déjeuner est d'un excellent rapport qualité/prix. Le soir, le cadre sensuel (lampes à franges diffusant un éclairage d'ambiance et cascade murale en mosaïque dorée) est idéal pour siroter un cocktail d'avant dîner ou d'après spectacle. (www.qiu.de ; Mandala Hotel, Potsdamer Strasse 3 ; déjeuner 12 € ; déj lun-ven ; U-/S-Bahn Potsdamer Platz ;)

Vapiano
ITALIEN **€**

7 Plan p. 62, C2

Dans cette chaîne allemande de restaurants en libre-service, le décor sophistiqué imaginé par Matteo Thun est un bel écrin pour les savoureuses spécialités italiennes. Pâtes, salades originales et pizzas croustillantes sont préparées sous vos yeux. En plus, les tables sont pourvues de paniers de basilique frais et d'huile d'olive parfumée. (www.vapiano.de ; Potsdamer Platz 5 ; plats 6-9 € ; U-/S-Bahn Potsdamer Platz)

Weilands Wellfood
INTERNATIONAL **€**

8 Plan p. 62, B3

Dans ce bistro en libre-service à l'atmosphère joyeuse, les pâtes au blé complet, les salades riches en vitamines et les savoureux plats au wok sont parfaits pour ceux qui veulent manger sain et équilibré. La meilleure façon de les apprécier : dehors, au bord d'un petit étang. (www.weilands-wellfood.de, en allemand ; Marlene-Dietrich-Platz 1 ; plats 4-9 € ; 10h-22h ; U-/S-Bahn Potsdamer Platz ;)

Tazcafé
INTERNATIONAL **€**

9 Plan p. 62, E3

Non loin de Checkpoint Charlie, joignez-vous aux employés du *taz* (un quotidien) et installez-vous aux tables rouge pompier pour déjeuner. Les plats, bon marché et teintés d'exotisme, changent tous les jours et sont préparés avec des légumes de saison et de la viande fermière. Gâteaux, en-cas et délicieux expressos (café issu du commerce équitable) l'après-midi. (www.taz.de, en allemand ; Rudi-Dutschke-Strasse 23 ; plats 6-7 € ; 8h-20h lun-ven ; U-Bahn Kochstrasse ;)

Desbrosses
FRANÇAIS **€€€**

10 Plan p. 62, C2

La brasserie du Ritz-Carlton possède une cuisine ouverte dotée d'un four en émail rouge clinquant et de chefs en toque qui préparent des spécialités françaises – bouillabaisse, foie gras, bœuf bourguignon. Plats du jour 14 € (midi lun-ven). (www.desbrosses.de ; Ritz-Carlton, Potsdamer Platz 3 ; plats 16-39 € ; petit-déj, déj et dîner ; U-/S-Bahn Potsdamer Platz)

Prendre un verre

Solar
BAR

11 Plan p. 62, D4

Dans ce rutilant bar d'altitude situé au-dessus d'une salle de restaurant

Intérieur de la Philharmonie de Berlin

chic, la vue est vraiment saisissante. Sa lumière feutrée, ses canapés et balançoires en cuir noir en font un endroit idéal pour un rendez-vous galant ou un verre au coucher du soleil. La montée vertigineuse dans l'ascenseur de verre extérieur vaut à elle seule le détour. Entrée à l'arrière du magasin d'accessoires auto Pit Stop. (www.solar-berlin.de ; Stresemannstrasse 76 ; S-Bahn Anhalter Bahnhof)

Sortir

Philharmonie de Berlin

MUSIQUE CLASSIQUE

12 ★ Plan p. 62, B2

Cette salle de concert mondialement célèbre possède une acoustique exceptionnelle et, grâce à l'aménagement "en terrasse" signé Hans Scharoun, ne compte aucune mauvaise place. Elle est le lieu de résidence de l'Orchestre philharmonique de Berlin, dirigé depuis 2002 par Sir Simon Rattle. De juin à septembre, profitez des concerts gratuits du mardi à 13h. (Berliner Philharmonie ; ☎2548 8999 ; www.berliner-philharmoniker.de ; Herbert-von-Karajan-Strasse 1 ; U-/S-Bahn Potsdamer Platz)

Shopping

Potsdamer Platz Arkaden

GALERIE COMMERCIALE

13 Plan p. 62, C3

Vous trouverez tout ce dont vous avez besoin dans cet agréable centre commercial. Le sous-sol est occupé par deux supermarchés et de nombreux fast-foods. (www.potsdamer-platz-arkaden.de ; Alte Potsdamer Strasse ; 10h-21h lun-sam ; U-/S-Bahn Potsdamer Platz)

Frau Tonis Parfum

PARFUMERIE

14 Plan p. 62, E3

Laissez votre flair vous guider jusqu'à cette parfumerie made in Berlin. Essayez la fragrance préférée de Marlène Dietrich (violette audacieuse) ou demandez un parfum personnalisé. (www.frau-tonis-parfum.com ; Zimmerstrasse 13 ; 10h-18h lun-sam ; U-Bahn Kochstrasse)

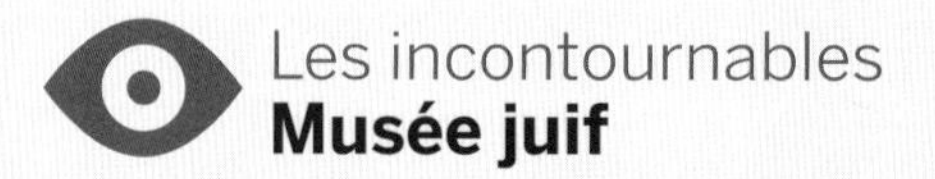

Les incontournables
Musée juif

Comment y aller

Le musée est à 1 km environ au sud de Checkpoint Charlie.

U-Bahn Depuis la station Kochstrasse (U6), prenez la Kochstrasse vers l'est, tournez à droite dans Markgrafenstrasse et à droite dans Lindenstrasse.

Situé dans un remarquable édifice conçu par l'architecte américain d'origine juive polonaise Daniel Libeskind, le Musée juif de Berlin dresse la chronique de 2 000 ans d'histoire juive en Allemagne : il couvre les grandes périodes historiques, de l'époque romaine à la renaissance actuelle de la communauté en passant par le Moyen Âge et le siècle des Lumières. Le musée détaille l'apport de la communauté juive sur le plan culturel, décrit ses traditions, retrace la longue route ayant mené à son émancipation et s'intéresse à des personnalités aussi variées que le philosophe Moses Mendelssohn, le père du jean Levi Strauss ou le peintre Felix Nussbaum.

À ne pas manquer

L'édifice

L'incroyable architecture du musée, conçue par Daniel Libeskind, se présente comme une allégorie de la souffrance du peuple juif : structure en étoile de David brisée, murs de zinc argenté aux angles prononcés et entailles dans la façade brillante en guise de fenêtres.

Les axes

L'allégorie visuelle se poursuit à l'intérieur, où un escalier escarpé conduit aux "axes", trois passages qui se croisent, symbolisant la destinée des Juifs sous le IIIe Reich : mort, exil et continuité. Seul ce dernier axe mène à l'exposition.

Shalechet (feuilles mortes)

L'installation artistique de Menashe Kadishman est l'une des plus poignantes du musée. Plus de 10 000 visages à la bouche grande ouverte, découpés dans des plaques d'acier rouillé, recouvrent le sol d'un océan de cris silencieux. L'espace même, une enceinte de murs en béton baptisée "Memory Void" par Libeskind, est une métaphore du vide laissé par le génocide des Juifs d'Europe.

L'exposition Moses Mendelssohn

Le philosophe Moses Mendelssohn (1729-1786) est une figure-clé des Lumières. Sa pensée et ses actions ouvrirent la voie à l'édit d'émancipation de 1812, qui fit des Juifs des citoyens prussiens à part entière bénéficiant de l'égalité des droits.

L'autoportrait de Max Liebermann

Max Liebermann (1847-1935) est l'impressionniste le plus célèbre d'Allemagne et le cofondateur du mouvement de la Sécession berlinoise. Ce tableau de 1929 montre l'artiste juif à un âge avancé, coiffé de son emblématique chapeau.

2599 3300

www.jmberlin.de

Lindenstrasse 9-14

adulte/tarif réduit 5/2,50 €

10h-20h, 10h-22h lun

À savoir

- Louez un audioguide en français (3 €) pour une visite plus approfondie.
- L'entrée donne accès durant trois jours à la **Berlinische Galerie** (www.berlinische galerie.de ; Alte Jakobstrasse 124 ; adulte/tarif réduit 6/3 € ; 10h-18h mer-lun), qui abrite une belle collection d'œuvres d'artistes berlinois de la fin du XIXe à nos jours, située à 500 m.

Une petite faim ?

Le **café** (plats 5-15 €) du musée sert à manger toute la journée sous la verrière et dans le jardin.

Rendez-vous au **Cafe Dix** (plats 5-10 € ; 10h-19h mer-lun) de la Berlinische Galerie pour des en-cas, plats et gâteaux.

100% berlinois
Après-midi dans le Bergmannkiez

Comment y aller

Le Bergmannkiez se situe dans la partie ouest de Kreuzberg.

U-Bahn Pour le départ, descendez à Gneisenaustrasse (U7). À l'arrivée, la station la plus proche est Mehringdamm (U7).

Le Bergmannkiez, situé dans la partie ouest et embourgeoisée de Kreuzberg, est l'un des quartiers les plus charmants de Berlin. Il tire son nom de sa principale rue commerçante, la Bergmannstrasse, qui est bordée de boutiques originales et de cafés parfaits pour observer la vie urbaine. À proximité se trouve l'ancien aéroport de Tempelhof, qui conquit ses lettres de noblesse lors du pont aérien de 1948. Dominant l'ensemble, la colline de Kreuzberg – plus haute éminence naturelle de Berlin – offre un formidable terrain de jeu aux beaux jours.

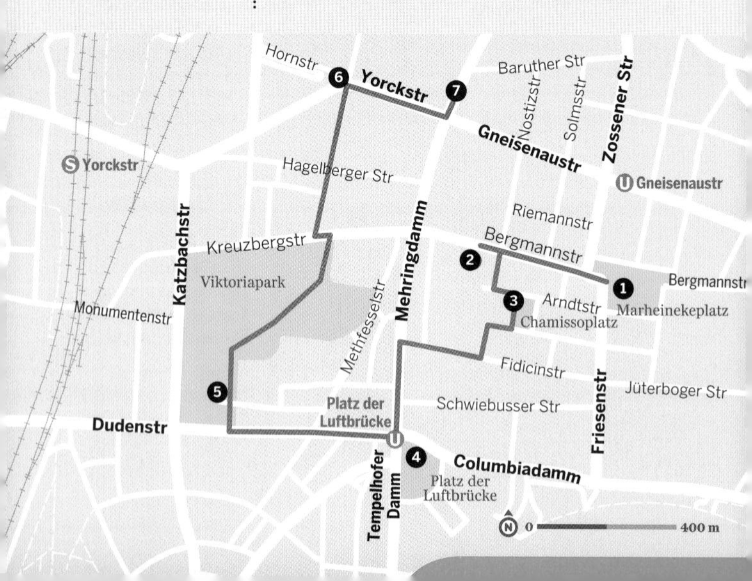

❶ Marheineke Markthalle

Grâce à d'importants travaux de rénovation, l'historique **marché couvert Marheineke** (www.meine-markthalle.de ; Marheinekeplatz ; 8h-20h lun-ven, 8h-18h sam) s'est défait de son charme vieillot pour une déco lumineuse et aérée. Dans ses allées des vendeurs proposent de tout : des saucisses bio aux fromages fermiers en passant par les miels artisanaux et autres délices.

❷ Neubau

Pour un succulent repas attablé, foncez au **Neubau** (www.neubau-restaurant.de ; Bergmannstrasse 5 ; déjeuner 2 plats 10 €, dîner 3 plats 28 € ; déj et dîner lun-sam), où les spécialités allemandes revisitées s'accordent à merveille avec la salle moderne et spacieuse.

❸ Chamissoplatz

Le samedi matin, tout le quartier se rend sur le plus ancien marché de producteurs bio de Berlin, situé sur la Chamissoplatz, bordée de majestueux immeubles du XIXe siècle. Avec ses rues pavées, ses lampadaires anciens et son urinoir octogonal, cette place semble ne presque pas avoir changé depuis un siècle.

❹ Mémorial du pont aérien

Le mémorial du pont aérien (Luftbrückendenkmal), devant l'ancien aéroport de Tempelhof, rend hommage à ceux qui luttèrent pour la liberté de la ville en participant à des opérations de ravitaillement durant le blocus de Berlin de 1948. Les trois pointes représentent les trois couloirs aériens empruntés par les Alliés occidentaux, tandis que le socle porte le nom des 79 personnes qui perdirent la vie durant ces événements.

❺ Viktoriapark

Faites une pause dans ce vaste parc qui recouvre la colline de Kreuzberg, haute de 66 m, et qui comprend un vignoble, une cascade artificielle et un pompeux mémorial commémorant la défaite de Napoléon en 1815. L'été, les habitants viennent se détendre, bronzer ou siroter une bière au **Golgatha** (www.golgatha-berlin.de, en allemand ; Dudenstrasse 48-64 ; à partir de 10h avr-sept), le *Biergarten* du parc.

❻ Yorckschlösschen

Cosy et débordant de babioles, le **Yorckschlösschen** (www.yorckschloesschen.de ; Yorckstrasse 15 ; à partir de 17h lun-sam, 10h dim ;) est une véritable institution à Kreuzberg et attire depuis plus d'un siècle une foule hétéroclite d'amateurs de jazz et de blues. Plusieurs concerts par semaine, bière fraîche à la pression et restauration allemande jusqu'à 1h.

❼ Curry 36

À toute heure du jour et de la nuit, une drôle de bande de jeunes tatoués, de bureaucrates encravatés, d'écoliers bruyants et de touristes bien informés attend son tour devant le **Curry 36** (Mehringdamm 36 ; saucisses environ 2 € ; 9h-5h). Considéré comme l'un des meilleurs vendeurs de *Currywurst* de la ville, ce snack, qui s'est considérablement modernisé, prépare des saucisses depuis plus d'un quart de siècle.

Explorer

Scheunenviertel et ses environs

Scheunenviertel (le "quartier des granges") est l'un des plus vieux et plus captivants quartiers de Berlin. S'y balader, c'est s'exposer à chaque instant à de merveilleuses surprises : jardin enchanteur, galerie à la pointe de l'art, boutique de mode avant-gardiste ou salle de bal Belle Époque. Depuis la réunification, Scheunenviertel a aussi retrouvé son rôle historique de principal quartier juif de Berlin.

L'essentiel en un jour

Prenez le S-Bahn à la station Nordbahnhof pour aller explorer le Mur sous toutes ses coutures au **Mémorial du mur de Berlin** (p. 74). Suivez la Bernauer Strasse vers l'est, puis parcourez la très branchée Brunnenstrasse, avec ses galeries et ses boutiques, prenez l'U8 pour descendre un arrêt plus loin sur la Rosenthaler Platz et déjeuner au **Chén Chè** (p. 80).

L'après-midi, déambulez dans Scheunenviertel. Faites le plein de vêtements et d'accessoires dans les boutiques du **Hackesche Höfe** (photo ci-contre ; p. 79) et dans la Alte Schönhauser Strasse, la Neue Schönhauser Strasse, la Münzstrasse, la Rosenthaler Strasse et les petites rues. Assouvissez votre soif d'art à la galerie **Kunst Werke** (p. 79) avant de déguster un bon café au Café Bravo, dans la cour intérieure. Si le Berlin juif vous intéresse, faites halte à la **Nouvelle Synagogue** (p. 79) et à l'**Ancien cimetière juif** (p. 80).

Pour le dîner, optez pour les roboratives spécialités du sud de l'Allemagne au **Schwarzwaldstuben** (p. 81), ou la superbe cuisine italienne au **Hartweizen** (p. 80). Prenez un digestif au **Neue Odessa Bar** (p. 83) avant d'aller jouer les Fred Astaire sur l'adorable piste rétro du **Clärchens Ballhaus** (p. 82).

Les incontournables

Mémorial du mur de Berlin (p. 74)

Le meilleur du quartier

Se restaurer

Chén Chè (p. 80)

Hartweizen (p. 80)

Kopps (p. 81)

Dolores (p. 81)

Bars

Neue Odessa Bar (p. 83)

Trust (p. 83)

KingSize Bar (p. 83)

Comment y aller

Bus Le bus n°142 emprunte la Torstrasse.

S-Bahn La station Hackescher Markt (S5, S7, S9) est au cœur de Scheunenviertel. Oranienburger Strasse (S1, S2) est aussi bien placée.

Tram Le tram n°1 s'arrête en des points-clés du quartier.

U-Bahn La station Weinmeisterstrasse (U8) est la plus centrale. Rosenthaler Platz (U8) et Rosa-Luxemburg-Platz (U2) sont des stations plus proches de la Torstrasse et du nord de Scheunenviertel.

Les incontournables
Mémorial du mur de Berlin

Situé le long de la Bernauer Strasse, entre la Gartenstrasse et l'Ackerstrasse, le mémorial du mur de Berlin (Gedenkstätte Berliner Mauer) est le plus important concernant la division de l'Allemagne. C'est l'unique endroit où l'on peut voir à quoi ressemblait réellement le mur et comment ses composantes se combinaient (voir p. 65). Les installations intérieures et extérieures de cette construction illustrent le rôle du Mur dans la consolidation du régime de la RDA. Plusieurs tentatives d'évasion célèbres ont eu lieu le long de la Bernauer Strasse.

Plan p. 76, C1

www.berliner-mauer-gedenkstaette.de

Bernauer Strasse 119

gratuit

exposition 9h30-18h ou 19h mar-dim, site 8h-20h

S-Bahn Nordbahnhof

À ne pas manquer

Le monument

Cette section de 70 m du Mur, encadrée par des parois d'acier, honore la mémoire des victimes du Mur. Derrière s'étend un "couloir de la mort" reconstitué avec son allée sablée où patrouillaient des gardes motorisés, ses projecteurs qui l'éclairaient la nuit et une tour de guet.

Centre de documentation

La plate-forme d'observation de ce centre de documentation (Berliner Mauer Dokumentationszentrum) offre une vue panoramique sur le monument et ses alentours. Une petite exposition retrace, à travers des photos, des enregistrements et des documents d'archive, les événements qui ont conduit à la mise en place des premiers barbelés en août 1961.

Chapelle de la Réconciliation

Simple et lumineuse, cette chapelle (Kapelle der Versöhnung) est construite sur les fondations d'une église du XIXe siècle qui, située au milieu du "couloir de la mort", fut détruite en 1985.

Fenêtre du souvenir

Un mur de portraits donne un visage à ceux qui ont perdu la vie devant le Mur. Le jardin qui l'entoure appartenait autrefois au cimetière adjacent ; plus de 1 000 sépultures ont été déplacées pour construire le Mur.

Station fantôme de Nordbahnhof

Le Mur divisait aussi le réseau de transport. Trois lignes de Berlin-Ouest passaient par Berlin-Est avant de regagner le secteur ouest. Leurs stations à l'est étaient fermées et surveillées par des patrouilles de la RDA. Nordbahnhof, l'une de ces "stations fantômes", comporte une exposition.

Bons plans

- Le centre d'accueil des visiteurs projette un court film de présentation et délivre des plans gratuits du mémorial.
- Un service de 15 minutes en mémoire des victimes du Mur a lieu à la chapelle de la Réconciliation, à 12h, du mardi au vendredi.

Une petite faim ?

Le **Mauercafe** (plan p. 76, C1 ; www.mauercafe-berlin.de ; Bernauer Strasse 117), le café le plus proche du mémorial, sert des petits-déjeuners, des en-cas, du café et des glaces.

À la sortie de la station de U-Bahn Bernauer Strasse, le **Cafe Grenzenlos** (plan p. 76, E1 ; Brunnenstrasse 47) est aussi une bonne adresse pour prendre un café, grignoter des pâtisseries ou se restaurer d'un petit-déjeuner complet.

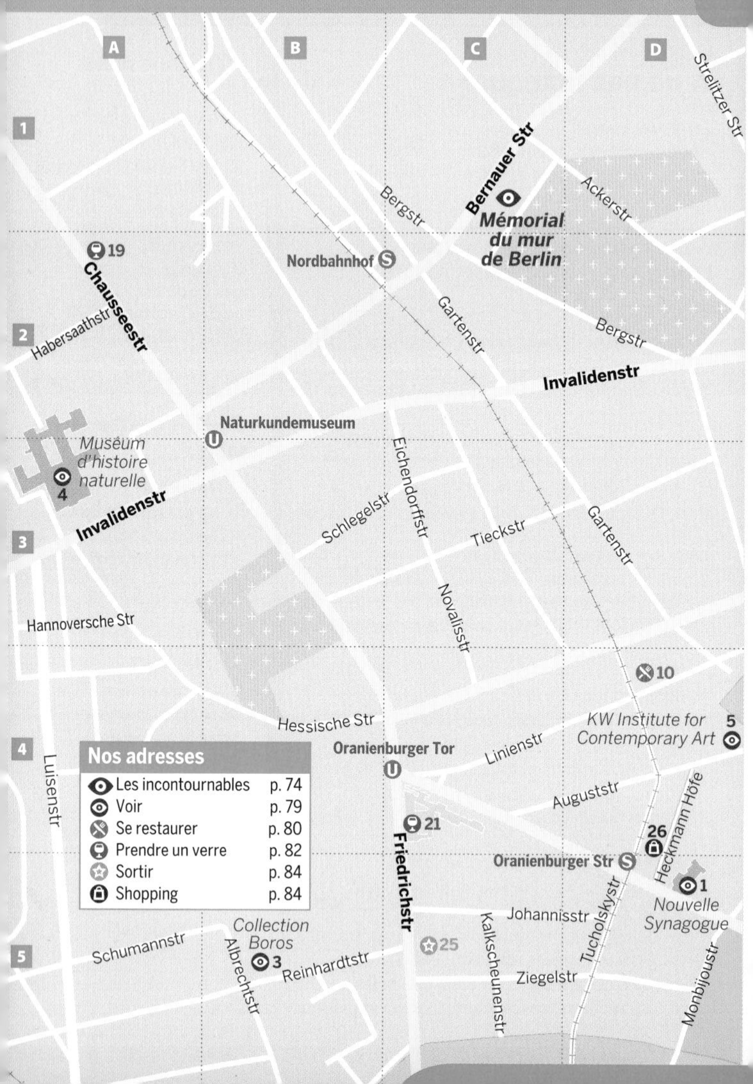

Nos adresses

Les incontournables	p. 74
Voir	p. 79
Se restaurer	p. 80
Prendre un verre	p. 82
Sortir	p. 84
Shopping	p. 84

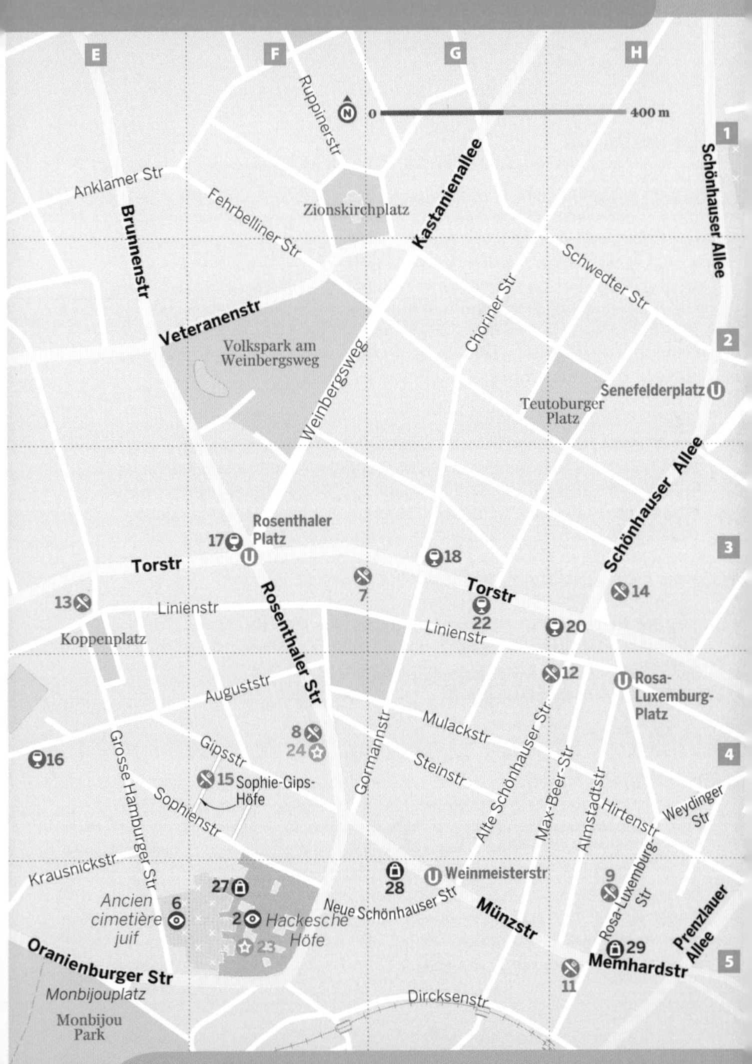
E
F
G
H
1
2
3
4
5
0
400 m
Ruppinerstr
Anklamer Str
Brunnenstr
Fehrbelliner Str
Zionskirchplatz
Kastanienallee
Schönhauser Allee
Schwedter Str
Choriner Str
Veteranenstr
Volkspark am Weinbergsweg
Weinbergsweg
Teutoburger Platz
Senefelderplatz
Schönhauser Allee
Rosenthaler Platz
17
18
Torstr
7
Torstr
22
14
13
Linienstr
Rosenthaler Str
Linienstr
20
Koppenplatz
12
Rosa-Luxemburg-Platz
Auguststr
Mulackstr
8
24
Gormannstr
16
Gipsstr
Steinstr
Alte Schönhauser Str
Max-Beer-Str
Almstadtstr
Grosse Hamburger Str
15 Sophie-Gips-Höfe
Sophienstr
Hirtenstr
Weydinger Str
Krausnickstr
28
Weinmeisterstr
9
Rosa-Luxemburg-Str
27
Ancien cimetière juif
6
2 Hackesche Höfe
23
Neue Schönhauser Str
Münzstr
Prenzlauer Allee
29
Memhardstr
11
Oranienburger Str
Monbijouplatz
Monbijou Park
Dircksenstr

Comprendre

Le Berlin juif

Depuis la réunification, la communauté juive berlinoise est celle qui s'est développée le plus rapidement au monde. Ses origines sont multiples. La plupart des Juifs berlinois viennent de Russie, mais certains sont d'origine allemande, d'autres sont des Israéliens ou des expatriés américains attirés par le coût de la vie moindre et la créativité sans limite que permet la ville. Cette communauté compte aujourd'hui environ 13 000 membres actifs, dont 1 000 appartiennent à la communauté orthodoxe Adath Israel. Tous les Juifs n'étant pas pratiquants, on estime que leur population totale est au moins du double.

Origines de la communauté

Les archives datent l'arrivée des premiers Juifs à Berlin de 1295. Tout au long du Moyen Âge, ils se sont vu accuser de tous les maux et désordres. Lors de l'épidémie de peste (1348-1349), une rumeur selon laquelle les Juifs avaient empoisonné l'eau conduisit au premier grand pogrom. En 1510, 38 Juifs accusés d'avoir volé l'hostie dans une église furent torturés et brûlés en public ; les aveux du vrai coupable (chrétien) avaient été jugés trop spontanés pour être vrais.

C'est par intérêt financier, non par humanité, que Frédéric-Guillaume, le Grand Électeur, invita des familles juives chassées de Vienne à s'installer à Berlin en 1671. Il étendit néanmoins sont invitation à tous les Juifs et les autorisa à pratiquer leur religion, ce qui était alors considéré comme un privilège en Europe.

Le XXe siècle

À la fin du XIXe siècle, les Juifs représentaient environ 5% de la population berlinoise et beaucoup étaient totalement intégrés, tant par la langue que par la nationalité. Lorsqu'une vague de Juifs Hassidim fuyant les pogroms d'Europe orientale arrivèrent à cette époque, ils s'installèrent dans l'actuel Scheunenviertel, qui était alors un quartier d'immigrants misérable aux logements bon marché. En 1933, les Juifs berlinois étaient environ 160 000 et représentaient un tiers des Juifs d'Allemagne. L'horreur nazie poussa la plupart à s'exiler et provoqua la mort de 55 000 d'entre eux. Seuls 1 000 à 2 000 auraient survécu à la guerre à Berlin même, souvent grâce à l'aide de voisins non Juifs.

Voir

Nouvelle Synagogue SYNAGOGUE

1 Plan p. 76, D5

La coupole dorée de la Nouvelle Synagogue est le symbole le plus visible de la renaissance de la communauté juive berlinoise. La synagogue d'origine, construite en 1866, était la plus grande d'Allemagne. Sa version moderne est moins un lieu de prière qu'un lieu de mémoire appelé Centrum Judaicum. Du haut de la coupole, belle vue sur Scheunenviertel. (Neue Synagoge ; www.cjudaicum.de ; Oranienburger Strasse 28-30 ; adulte/tarif réduit 3/2 € ; 10h-20h dim-lun, 10h-18h mar-jeu, 10h-17h ven avr-sept, 10h-20h dim-lun, 10h-18h mar-jeu, 10h-14h ven oct et mars, 10h-18h dim-jeu, 10h-14h ven nov-fév ; S-Bahn Oranienburger Strasse ; M1)

Hackesche Höfe SITE HISTORIQUE

2 Plan p. 76, F5

Cet ensemble de cours restaurées est le plus vaste et le plus célèbre de ceux qui parsèment Scheunenviertel. Prenez le temps de flâner autour des cafés, des vieux théâtres de variétés, des cinémas d'art et d'essai et des boutiques de créateurs haut de gamme. Entrée par la Rosenthaler Strasse ou la Sophienstrasse. (www.hackesche-hoefe.com, en allemand ; S-Bahn Hackescher Markt ; M1)

Collection Boros GALERIE

3 Plan p. 76, B5

Le souvenir de la guerre hante encore ce bunker nazi transformé en vitrine flamboyante de l'art contemporain grâce à une riche collection d'œuvres signées Olafur Eliasson, Damien Hirst, Sarah Lucas et Wolfgang Tillmans entre autres. Visites guidées uniquement (en allemand ou en anglais) ; réservez en ligne le plus tôt possible. (Sammlung Boros ; www.sammlung-boros.de ; Reinhardtstrasse 20 ; visite 10 € ; ven, sam, dim ; U-Bahn Oranienburger Tor ; U-/S-Bahn Friedrichstrasse)

Muséum d'histoire naturelle MUSÉUM

4 Plan p. 76, A3

Vous ne raffolez pas des fossiles et des minéraux ? Que diriez-vous d'un brachiosaure long de 23 m et haut de 12 m, le plus grand dinosaure reconstitué d'Europe ? Une dizaine de compères du jurassique l'accompagnent ainsi qu'un très rare archæoptéryx et, bientôt, Knut, le plus fameux des ours polaires. (Museum für Naturkunde ; www.naturkundemuseum-berlin.de ; Invalidenstrasse 43 ; adulte/tarif réduit 6/3,50 € ; 9h30-18h mar-ven, 10h-18h sam-dim ; U-Bahn Naturkundemuseum)

KW Institute for Contemporary Art GALERIE

5 Plan p. 76, D4

Installé dans une ancienne usine, cet institut d'art contemporain organise des manifestations reflétant les dernières tendances artistiques, souvent radicales. Le Café Bravo, dans la cour intérieure, est naturellement artistique. (www.kw-berlin.de ; Auguststrasse 69 ; adulte/tarif réduit 6/4 € ; 12h-19h mar, mer et ven-dim, 12h-21h jeu ; S-Bahn Oranienburger Strasse ; M1)

Ancien cimetière juif

CIMETIÈRE

6 Plan p. 76, E5

Le premier cimetière juif de Berlin fut détruit par la Gestapo en 1943. Une réplique de la tombe de Moses Mendelssohn, philosophe des Lumières, est le seul souvenir de ceux qui y furent inhumés de 1672 à 1827. (Alter Jüdischer Friedhof ; Grosse Hamburger Strasse ; S-Bahn Hackescher Markt ; M1)

Se restaurer

Hartweizen

ITALIEN **€€**

7 Plan p. 76, F3

Avec ses tables en bois brut, ses baies vitrées et ses lustres industriels, Hartweizen est à des années-lumière des restaurants italiens pittoresques. Surtout il sert une excellente cuisine dédiée aux saveurs des Pouilles. Le poisson et la viande y sont exquis, les pâtes maison, les portions copieuses et même le vin le moins cher (17 € la bouteille) est bon. (2849 3877 ; www.hartweizen.com ; Torstrasse 96 ; plats 10-18 € ; dîner lun-sam ; U-Bahn Rosenthaler Platz ; M1)

Chén Chè

VIETNAMIEN **€€**

8 Plan p. 76, F4

Des bâtonnets d'encens balisent la voie jusqu'à cette maison de thé vietnamienne au fond d'une cour. Dans l'agréable jardin zen ou sous le grand lustre hexagonal, mangez des *pho* (soupes), des currys ou des nouilles dans des cocottes en céramique traditionnelle. (www.chenche-berlin.de ; Rosenthaler Strasse 13 ; plats 6,50-9 € ; U-Bahn Rosenthaler Platz ;)

Susuru

JAPONAIS **€**

9 Plan p. 76, H5

Faire du bruit en mangeant (c'est le sens du mot *susuru* en japonais) est la meilleure manière de déguster les nouilles de ce restaurant de soupes, aussi net et épuré qu'un

Comprendre

Scheunenviertel, de la paille aux branchés

Le Scheunenviertel ("quartier des granges") doit son origine aux incendies qui ravageaient Berlin à l'époque où ses maisons étaient construites en bois. Le roi de Prusse ordonna alors que toutes les granges contenant des récoltes inflammables soient installées en dehors des murs de la ville. Au début du XXe siècle, ce quartier accueillit de nombreux immigrants juifs d'Europe orientale, dont beaucoup furent exterminés par les nazis. Après la guerre, Scheunenviertel se délabra peu à peu pour devenir un quartier miteux de Berlin-Est. Depuis la réunification, il connaît une ascension fulgurante. Aujourd'hui quartier chéri par tout ce que Berlin compte de créatifs, ses bars et cafés accueillent jeunes branchés, modeuses chics et artistes à l'allure famélique.

bento. (www.susuru.de, en allemand ; Rosa-Luxemburg-Strasse 17 ; soupes 6,50-9 € ; U-Bahn Rosa-Luxemburg-Platz ;)

Schwarzwaldstuben ALLEMAND €€

10 Plan p. 76, D4

Envie de retomber en enfance ? Rejoignez les Hansel et Gretel à casquette de Bambi “perdus” dans cette Forêt-Noire avec pins artificiels. On ne se lasse pas des *Geschmelzte Maultaschen* (raviolis sautés) et des *Schnitzel* (escalopes) géantes. (2809 8084 ; Tucholskystrasse 48 ; plats 7-14 € ; 9h-24h ; S-Bahn Oranienburger Strasse ; M1)

Dolores CALIFORNIEN €

11 Plan p. 76, H5

Dans ce bastion de la tortilla californienne – fraîche, authentique et économique – choisissez vos ingrédients (viande marinée, tofu, haricots, légumes, sauce…) et le personnel enjoué vous la prépare sur-le-champ. (www.dolores-berlin.de, en allemand ; Rosa-Luxemburg-Strasse 7 ; tortilla 4-6 € ; 11h30-22h lun-sam, 13h-22h dim ; U-Bahn Weinmeisterstrasse, Alexanderplatz ;)

Yam Yam CORÉEN €

12 Plan p. 76, H4

Dans un accès d'audace, Sumi Ha a métamorphosé sa boutique de mode chic en self-service élégant où le *bibimbap* (riz, légumes, viande, œuf au plat) épicé, les *gimbab* (sortes de maki) frais, les *mandu* (raviolis) fumants et autres spécialités coréennes sont irréprochables. (www.yamyam-berlin.de ;

Graff au Kunsthaus Tacheles (Oranienburger Strasse)

plats 4,50-8 € ; Alte Schönhauser Strasse 6 ; U-Bahn Rosenthaler Platz ; M1)

Kopps VÉGÉTALIEN €€

13 Plan p. 76, E3

“Végétalien” et “allemand” semblent deux adjectifs incompatibles en cuisine, sauf chez Kopps, qui propose de délicieux goulash, des *Rouladen* (paupiettes de bœuf) et des *Schnitzel* (escalopes) sans aucun produit animal. L'espace, confiné mais élégant, est décoré de murs bleu-gris et de miroirs et portes recyclés diposés de manière inattendue. Excellents petits-déjeuners et, le week-end, brunchs très courus. (4320 9775 ; www.kopps-berlin.de ; Linienstrasse 94 ; plats 9-14 € ; 8h30-24h ; U-Bahn Rosenthaler Platz ; M1 ;)

White Trash Fast Food AMÉRICAIN €€

14 Plan p. 76, H3

Wally Potts – cow-boy urbain, Californien d'origine – le propriétaire de bar le plus cool de Berlin, a transformé cet ancien pub en restaurant déjanté. Les DJ et musicos rendent la conversation difficile et obligent les clients à ce concentrer sur les hamburgers et les steaks en provenance directe des États-Unis. (5034 8668 ; www.whitetrashfastfood.com ; Schönhauser Allee 6-7 ; plats 7,50-20 € ; midi lun-ven, soir tlj ; U-Bahn Rosa-Luxemburg-Platz)

Barcomi's Deli AMÉRICAIN €

15 Plan p. 76, F4

Joignez-vous aux amateurs de *latte*, familles et expatriés qui viennent dans ce café tranquille au fond d'une cour déguster du café torréfié sur place, des wraps, des bagels au saumon

> 100% berlinois
>
> **Rosenthaler Platz, le paradis du snack**
>
> Pour combler un petit creux sans se ruiner, le choix est vaste autour de la station d'U-Bahn Rosenthaler Platz (plan p. 76, F3). Nos trois adresses préférées sont **Grill-und Schlemmerbuffet** (Torstrasse 125) pour ses kebabs exceptionnels, **Rosenburger** (Brunnenstrasse 196) pour ses hamburgers frais, et **CôCô** (Rosenthaler Strasse 2) pour ses *banh mi* (sandwichs vietnamiens) bien garnis.

Marchand de kebabs sur la Rosenthaler Platz

fumé et probablement les meilleurs brownies et cheesecakes de ce côté de l'Hudson. (www.barcomis.de, en allemand ; 2e cour, Sophie-Gips-Höfe, Sophienstrasse 21 ; plats 3-12 € ; 9h-21h lun-sam, 10h-21h dim ; U-Bahn Weinmeisterstrasse ;)

Prendre un verre

Clärchens Ballhaus CLUB, RESTAURANT

16 Plan p. 76, E4

Renouez avec le passé dans cette magnifique salle de bal de la fin du XIXe siècle, où les jeunes et les mamies se côtoient en bonne harmonie. Le style change chaque soir (salsa, swing, tango, disco) et un groupe joue le samedi.

On prend des forces en mangeant des pizzas et des spécialités allemandes – dans le jardin, en été. (www.ballhaus-mitte.de, en allemand ; Auguststrasse 24 ; à partir de 22h lun, 21h mar-jeu, 20h ven-sam, 15h dim ; S-Bahn Oranienburger Strasse)

Mein Haus am See
CAFÉ, BAR

17 Plan p. 76, F3

L'escalier en gradins de ce café-bar décontracté est idéal pour observer ce qui se passe. Lectures, concerts, soirées DJ et autres manifestations culturelles en font une adresse tendance. (www.mein-haus-am-see.blogspot.com ; Brunnenstrasse 197/198 ; à partir de 9h ; U-Bahn Rosenthaler Platz)

Neue Odessa Bar
BAR

18 Plan p. 76, G3

Une clientèle mature, internationale et possédant un sens aigu de la mode fréquente cette institution de la Torstrasse qui ne désemplit jamais. Le papier peint à motifs, les banquettes en velours et l'éclairage astucieux créent une ambiance douillette, qu'on préfère la Krusovice ou les cocktails. Fumeur. (Torstrasse 89 ; à partir de 19h ; U-Bahn Rosenthaler Platz)

K-TV
CLUB

19 Plan p. 76, A2

Derrière une façade ornée de graffitis en face du nouveau bâtiment de la BND (la CIA allemande) se cache un club sombre, style années 1990, malgré une clientèle résolument actuelle qui sirote des long drinks et du champagne. Bar au rez-de-chaussée, électro au sous-sol. Lieu fumeurs. (www.ktv-berlin.de ; Chausseestrasse 36 ; ven-sam ; U-Bahn Naturkundemuseum)

Kaffee Burger
BAR, CLUB

20 Plan p. 76, H3

C'est derrière la façade très est-allemande de ce club qu'ont lieu les soirées bimensuelles surchauffées Russendisko (disco russe). Sinon, il y a des concerts presque tous les soirs (indé, punk, rock, Balkanbeats). Dimanche, c'est lectures. (www.kaffeeburger.de ; Torstrasse 58/60 ; à partir de 20h lun-sam, 19h dim ; U-Bahn Rosa-Luxemburg-Platz)

KingSize Bar
BAR

21 Plan p. 76, C4

Maniant l'autodérision avec délice, cette adresse gay fondée sous la RDA est à peine plus grande qu'un placard. Quand on parvient à s'y glisser, c'est un bon endroit pour débuter – ou terminer – la soirée autour d'un verre. Lieu fumeurs. (www.kingsizebar.de ; Friedrichstrasse 112b ; mer-sam ; U-Bahn Oranienburger Tor ; M1)

Trust
BAR

22 Plan p. 76, G3

Cofondé par les patrons des clubs Cookies (p. 37) et Weekend (p. 53), ce bar entièrement doré, à la fois chic et délabré, est tout désigné pour commencer une soirée. Les consommations sont vendues à la bouteille pour encourager le partage et la confiance (*trust*).

100% berlinois

Torstrasse, rue tendance

Bruyante, quelconque et encombrée, la Torstrasse est pourtant une rue qui monte – Brad Pitt et Angelina Jolie auraient même acheté un appartement dans le secteur. Elle s'est transformée avec une rapidité surprenante en une avenue à l'américaine où de nouveaux restaurants branchés ouvrent sans cesse, où des bars à la déco recherchée font le plein chaque soir et où les boutiques attirent les modeux avertis. Le secteur le plus vivant se trouve entre la Schönhauser Allee et la Rosenthaler Strasse.

Même philosophie aux toilettes. Vous découvrirez pourquoi si vous parvenez à entrer. Lieu fumeurs. (Torstrasse 72 ; à partir de 22h jeu-sam ; U-Bahn Rosenthaler Platz, Rosa-Luxemburg-Platz)

Sortir

Chamäleon Variété — CABARET

23 Plan p. 76, F5

Alliance de charme Art nouveau et de machinerie high-tech, ce petit cabaret des années 1920 aménagé dans une ancienne salle de bal propose des spectacles de variété chics – comédie, arts du cirque et tours de chant –, aux numéros souvent non-conventionnels. (400 0590 ; www.chamaeleonberlin.de, en allemand ; Hackesche Höfe, Rosenthaler Strasse 40/41 ; S-Bahn Hackescher Markt)

B-Flat — CONCERTS

24 Plan p. 76, F4

Une faune cool d'âges variés fréquente cette salle intime, où l'on s'assied littéralement à deux pas des artistes. La programmation privilégie la musique acoustique – jazz, world music, musique afro-brésilienne… La jam session gratuite du mercredi est souvent enflammée. (283 3123 ; www.b-flat-berlin.de ; Rosenthaler Strasse 13 ; à partir de 20h dim-jeu, 21h ven-sam ; U-Bahn Weinmeisterstrasse)

Friedrichstadtpalast — CABARET

25 Plan p. 76, C5

Le plus grand théâtre européen de revues est célèbre pour ses spectacles scintillants dignes de Las Vegas avec danseuses tout en jambes, effets spéciaux high-tech et talent à revendre. (2326 2326 ; www.show-palace.eu ; Friedrichstrasse 107 ; U-/S-Bahn Friedrichstrasse)

Shopping

Bonbonmacherei — CONFISERIE

26 Plan p. 76, D4

Un parfum de menthe et de réglisse flotte dans cette confiserie à artisanale située en sous-sol. À l'aide d'ustensiles anciens et de recettes éprouvées, les propriétaires préparent des friandises comme les Berliner Maiblätter (feuilles de mai). (www.bonbonmacherei.de, en allemand ; Oranienburger Strasse 32, Heckmannhöfe ; 12h-20h mer-sam, fermé juil-août ; S-Bahn Oranienburger Strasse)

Ampelmann Galerie SOUVENIRS

27 Plan p. 76, F5

Il a fallu une forte mobilisation pour sauver Ampelmann, le bonhomme des signaux de circulation pour les piétons est-allemands. Sa silhouette orne aujourd'hui les articles vendus dans cette boutique, tee-shirts, serviettes, porte-clefs, emporte-pièce… (www.ampelmann.de ; Court V, Hackesche Höfe ; 9h30-22h lun-sam, 10h-19h dim ; S-Bahn Hackescher Markt)

1. Absinth Depot Berlin BOISSON

28 Plan p. 76, G5

Van Gogh, Toulouse-Lautrec et Verlaine sont quelques-uns des artistes fin de siècle à avoir puisé l'inspiration dans la "fée verte", autre nom de l'absinthe. Le propriétaire de cette boutique pittoresque vous aidera à choisir la bouteille idéale pour ce tête-à-tête enivrant. (www.erstesabsinthdepotberlin.de ; Weinmeisterstrasse 4 ; 14h-24h lun-ven, à partir de 13h sam ; U-Bahn Weinmeisterstrasse)

Apartment MODE

29 Plan p. 76, H5

Un escalier en spirale descend jusqu'à l'un des concept-stores mixtes les mieux conçus de Berlin. Une fois dans cette belle boutique noire de jais, passez en revue des vêtements griffés Palais Royal, Rich Owens, Tuesday Night Band Practice, Cheap Monday et autres marques en vogue. (www.apartmentberlin.de ; Memhardstrasse 8 ; 11h-19h lun-ven, 12h-19h sam ; U-Bahn Weinmeisterstrasse)

Objets à l'effigie d'Ampelmann dans la boutique à son nom

Explorer

Kreuzberg

Malgré un embourgeoisement rampant, Kreuzberg reste le quartier le plus branché de Berlin, une fourmilière où se côtoient étudiants, jeunes créateurs, Turcs fumeurs de chicha et néo-Berlinois de tous horizons. L'art urbain omniprésent, l'ambiance multiculturelle, les boutiques vintage, le canal paisible expliquent ce succès. D'autant que Kreuzberg est aussi le paradis des noctambules !

L'essentiel en un jour

Par une belle et chaude matinée d'été à Kreuzberg, il n'y a pas de meilleur endroit où commencer votre journée qu'à la **Badeschiff** (p. 97), une plage avec piscine au bord de la Spree. Au programme, bronzage, natation et détente.

Après cette mise en forme, cap vers le nord et la Schlesische Strasse pour découvrir les immenses fresques d'**art urbain** (p. 92) de Blu et les vêtements uniques de **Killerbeast** (p. 97). Au déjeuner, faites la queue chez **Burgermeister** (p. 94), puis grimpez à bord de l'U1 pour descendre une station plus loin à Görlitzer Bahnhof (si vous préférez marcher, empruntez la Skalitzer Strasse). Prenez l'Oranienstrasse vers le nord, parcourez les rayons d'**UKO Fashion** (p. 97) et des autres boutiques de vêtements d'occasion, de streetwear et de babioles. Observez les bobos du quartier devant un café (ou une bière) au **Luzia** (p. 89).

Le soir, Kreuzberg se réveille véritablement. Offrez-vous un dîner gastronomique chez **Horváth** (p. 92) ou un repas traditionnel allemand chez **Max und Moritz** (p. 94). Ce dernier est plus commode pour découvrir ensuite les bars de Kreuzberg. Vous trouverez plus de suggestions p. 94 et dans la rubrique "La tournée des bars de Kotti" p. 88.

100% berlinois

La tournée des bars de Kotti (p. 88)

Le meilleur du quartier

Se restaurer

Burgermeister (p. 94)

Max und Moritz (p. 94)

Horváth (p. 92)

Defne (p. 92)

Bars

Würgeengel (p. 89)

Freischwimmer (photo p. 86 ; p. 96)

Club der Visionäre (p. 94)

Monarch Bar (p. 88)

Madame Claude (p. 96)

Clubs

Watergate (p. 94)

Gay et lesbien

Roses (p. 89)

Möbel Olfe (p. 89)

SO36 (p. 89)

Comment y aller

U-Bahn La station Kottbusser Tor (U8) est en plein cœur de Kreuzberg ; les stations Görlitzer Bahnhof et Schlesisches Tor (U1) sont également bien placées.

100% berlinois
La tournée des bars de Kotti

Bruyant, chaotique et insomniaque, le quartier qui s'étend autour de la station d'U-Bahn Kottbusser Tor (Kotti, en abrégé) perpétue le style punk-funk qui le caractérise depuis les années 1970. Plus âpre qu'aimable, ce quartier de snacks, cafés, pubs et bars, un des plus chauds la nuit tombée, invite à la tournée des bars.

❶ Monarch Bar

Derrière ses fenêtres à hauteur des rails de l'U-Bahn, le **Monarch Bar** (www.kottimonarch.de ; Skalitzer Strasse 134 ; à partir de 21h mar-sam) mêle adroitement déco faussement déglinguée et réellement recherchée, alcools forts, ambiance décontractée et sets électro de DJ le soir. Entrée par une porte métallique anonyme à côté du marchand de kebab, à droite du supermarché Kaiser.

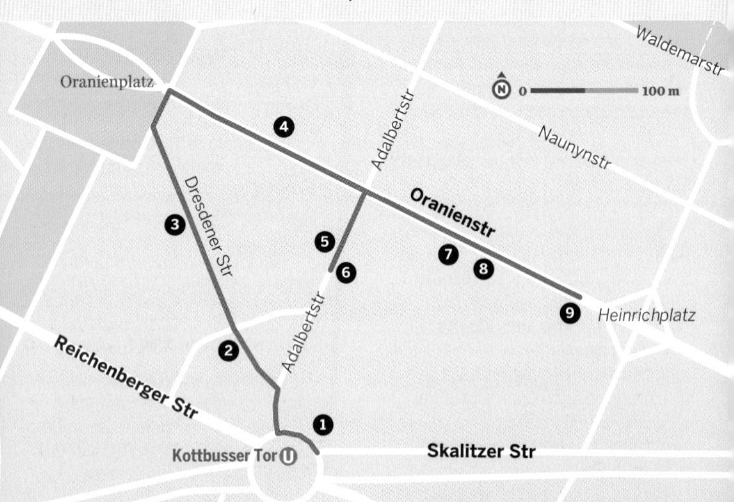

❷ Möbel Olfe

Ancien magasin d'ameublement, **Möbel Olfe** (www.moebel-olfe.de, en allemand ; Reichenberger Strasse 177 ; ⏲mar-dim) est un bar en perpétuelle effervescence où les consommations sont bon marché et la clientèle mélangée à tous égards (dominante gay le jeudi). Les squelettes accrochés au-dessus du bar sont particulièrement effrayants après quelques verres de bière ou de vodka polonaise. Entrée par la Dresdener Strasse. Lieu fumeurs.

❸ Würgeengel

Pour une soirée chic, visez le **Würgeengel** (www.wuergeengel.de, en allemand ; Dresdener Strasse 122), caveau à cocktails des années 1950 décoré de lustres et de tables noires. Il y a toujours du monde, surtout après la séance du cinéma voisin. Lieu fumeurs.

❹ Luzia

Joliment décoré de mobilier vintage, de papier peint baroque et d'œuvres excentriques signées Chin Chin, le **Luzia** (Oranienstrasse 34 ; ⏲à partir de 12h ; 📶) attire des Berlinois élégants. Si d'aucuns l'accusent de se prendre pour un bar de Mitte, le Luzia reste une adresse agréable et chaleureuse. Lieu fumeurs.

❺ Maroush

Petit bar chaleureux et lambrissé, le **Maroush** (www.maroush-berlin.de, en allemand ; Adalbertstrasse 93 ; sandwichs 3 € ; ⏲11h-2h) est idéal pour déguster d'excellents sandwichs au falafel ou des shawarmas.

❻ Hasir

Navire amiral d'une petite chaîne turque locale, **Hasir** (www.hasir.de ; Adalbertstrasse 12 ; plats 8-13 € ; ⏲24h/24) est pris d'assaut à toute heure par les amateurs de viande grillée, de feuilles de vigne farcies et d'autres délices. Mehmed Aygün, le propriétaire, prétend avoir inventé le kebab berlinois en 1971.

❼ Bierhimmel

Repaire gay accueillant pour les hétéros, **Bierhimmel** (Oranienstrasse 183 ; ⏲13h-3h) attire du monde à l'heure du café et des pâtisseries, mais c'est aussi un endroit décontracté pour commencer la soirée avant de gagner des adresses à l'ambiance plus pimentée comme le Roses.

❽ Roses

Théâtral et kitsch, le **Roses** (Oranienstrasse 187 ; ⏲à partir de 21h) est une adresse phare dans la nuit de Kreuzberg. Les consommations sont bon marché et bien servies, d'où l'affluence de noceurs – toutes orientations sexuelles – en virée. Lieu fumeurs.

❾ SO36

Les Dead Kennedys et Die Toten Hosen se produisaient au **SO36** (www.so36.de ; Oranienstrasse 190) quand la plupart des clients actuels étaient encore en couches-culottes. La clientèle varie selon le programme : concert de solidarité, soirée homo à thème, marché aux puces nocturne – ce spot indémodable de la scène alternative à Kreuzberg cultive l'éclectisme.

A
B
C
D
1
2
3
4
5
Heinrich-Heine-Platz
Engeldamm
Bethaniendamm
Leuschnerdamm
Mariannenplatz
Dresdener Str
Waldemarstr
Manteuffelstr
Muskauer Str
Oranienstr
5
6
Oranienplatz
Dresdener Str
Oranienstr
Naunynstr
Adalbertstr
Reichenberger Str
Heinrichplatz
19
Görlitzer Bahnhof
Kottbusser Tor
Skalitzer Str
Wassertorplatz
7
Spreewaldplatz
KREUZBERG
Mariannenstr
20
Admiralstr
Manteuffelstr
1
Fraenkelufer
14
Paul-Lincke-Ufer
Reichenberger Str
Lausitzer Str
Urbanhafen
Planufer
3
9
Kottbusser Damm
Maybachufer
Ohlauer Str
Landwehrkanal
2
Grimmstr
Böckhstr
Schönleinstr
Bürknerstr
Dieffenbachstr
Hobrechtstr
Sanderstr
Friedelstr
KREUZKÖLLN
Fichtestr
Hohenstaufenplatz
Pflügerstr
Urbanstr
Nansenstr

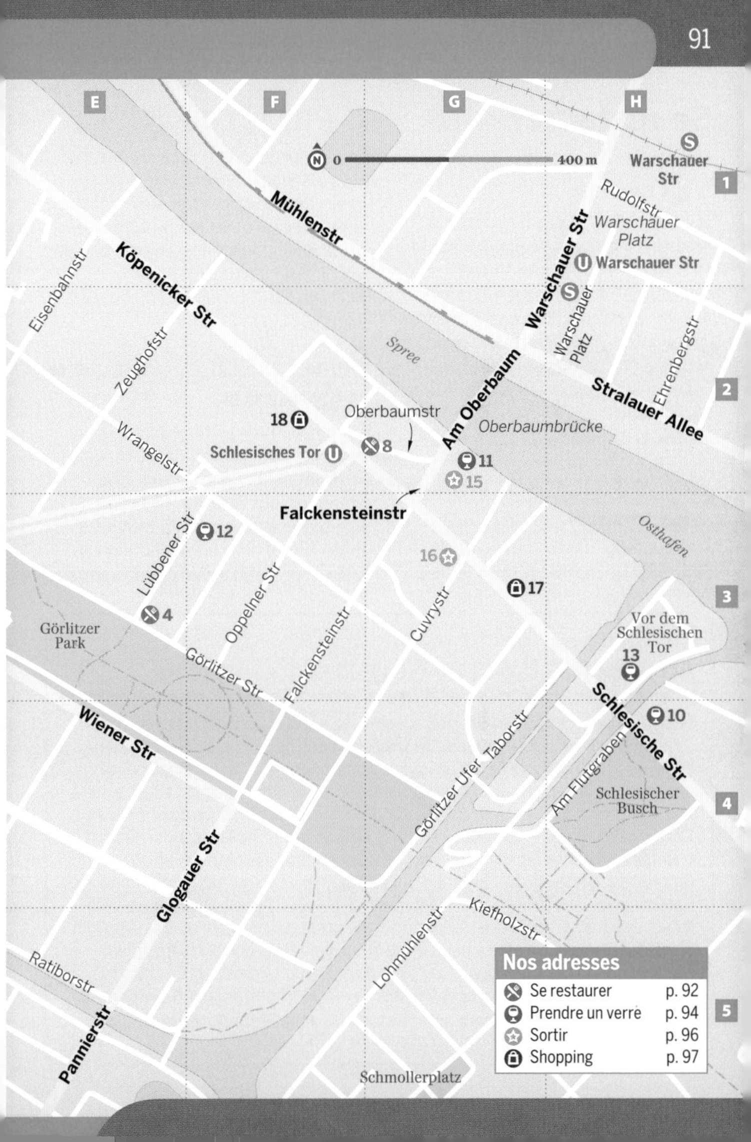
E
F
G
H
1
2
3
4
5
0
400 m
Warschauer Str
Rudolfstr
Warschauer Platz
Warschauer Str
Warschauer Str
Warschauer Platz
Mühlenstr
Köpenicker Str
Eisenbahnstr
Zeughofstr
Wrangelstr
Spree
Ehrenbergstr
Stralauer Allee
Am Oberbaum
Oberbaumstr
Oberbaumbrücke
18
Schlesisches Tor
8
11
15
Falckensteinstr
Osthafen
12
Lübbener Str
16
17
Oppelner Str
4
Görlitzer Park
Falckensteinstr
Cuvrystr
Görlitzer Str
Vor dem Schlesischen Tor
13
10
Schlesische Str
Wiener Str
Görlitzer Ufer
Taborstr
Am Flutgraben
Schlesischer Busch
Glogauer Str
Kiefholzstr
Lohmühlenstr
Ratiborstr
Pannierstr
Schmollerplatz
Nos adresses
Se restaurer p. 92
Prendre un verre p. 94
Sortir p. 96
Shopping p. 97

Se restaurer

Horváth

AUTRICHIEN €€€

1 Plan p. 90, B4

Dans ce bistrot en bordure de canal, Sebastian Frank (étoilé par le Michelin en 2011) revisite les classiques autrichiens en combinant avec audace textures et saveurs. Découvrez l'étendue de son talent dans le menu de 10 petites assiettes (73 €). (☎6128 9992 ; www.restaurant-horvath.de, en allemand ; Paul-Lincke-Ufer 44a ; dîner 3 plats à partir de 39 € ; ⏲18h-1h mar-dim ; U-Bahn Kottbusser Tor)

Volt

ALLEMAND €€€

2 Plan p. 90, D4

Son cadre inattendu – un poste électrique de 1928 – mérite à lui seul que l'on se rende au restaurant de Matthias Geiss, un des chefs berlinois les plus prometteurs. Mais la surprise est aussi dans l'assiette, où viandes, poissons et légumes régionaux sont traités avec art et une véritable originalité. (☎6107 4033 ; www.restaurant-volt.de ; Paul-Lincke-Ufer 21 ; dîner 3 plats 34 €, plats 24-32 €; ⏲dîner lun-sam ; U-Bahn Kottbusser Tor)

Defne

TURC €€

3 Plan p. 90, B4

La cuisine turque ne se limite pas au kebab, vous le découvrirez ici. Commencez par un succulent houmous, des carottes aillées ou une purée aux noix et au piment ; faites suivre d'un *ali nazik* (agneau à la purée d'aubergine et au yaourt).

Comprendre

Art urbain

Pochoir, affiche, throw up, déchirure, bombing, fresque, installation et graffiti 3D sont des styles et techniques du street art sans rapport avec le vandalisme, le tag ou le gribouillage illégal. Les innombrables terrains vagues et immeubles abandonnés de Berlin servent parfois d'atelier à ciel ouvert aux artistes. Certains des plus en vue ont laissé leur griffe sur des murs berlinois, notamment Banksy, Os Gemeos, Romero, Swoon, Flix, Pure Evil, Miss Van et Blu. Ce dernier est très présent à Kreuzberg ; en cinq jours seulement, l'artiste italien a couvert un mur coupe-feu d'un immense personnage rose constitué de centaines de personnages plus petits se tortillant comme des vers. Appelé **Blackjump**, cette fresque se trouve au Falckensteinstrasse 48, près du Watergate (p. 94). Non loin, sur la Schlesische Strasse à hauteur de la Cuvrystrasse, une autre fresque de Blu, montre un homme nouant sa cravate les poignets reliés par des montres-menottes et une autre, en collaboration avec JR, montre deux **Géants** dont un sens dessus dessous. Les œuvres sont innombrables dans les rues de Berlin. Ayez l'œil ou participez à une visite guidée (p. 160).

À gauche un graff signé Blu, à droite, un autre signé Blu + JR

Situation idyllique au bord du canal, décoration chaleureuse et dépaysante, service impeccable. (☎8179 7111 ; www.defne-restaurant.de ; Planufer 92c ; plats 7,50-16 € ; ⏰dîner ; U-Bahn Schönleinstrasse)

Bar Raval

ESPAGNOL €€

4 Plan p. 90, E3

Tournant résolument le dos au folklore kitsch, ce bar à tapas du XXe siècle est une création de l'acteur hispano-allemand Daniel Brühl. On y sert des tapas ibériques, depuis les *patatas bravas* dans leur variante à l'aïoli maison jusqu'à la *sobrasada* (saucisse à tartiner de Majorque). Paella le lundi soir. (☎5316 7954 ; www.barraval.de ; Lübbener Strasse 1 ; tapas à partir de 4 € ; ⏰dîner tlj, déj sam-dim ; U-Bahn Görlitzer Bahnhof)

Henne

ALLEMAND €

5 Plan p. 90, B2

Cette institution rustique du vieux Berlin conserve sa ligne directrice : faire simple et bon. Le poulet rôti à la broche, doré à la perfection, est servi ici depuis environ un siècle, accompagné de pommes de terre acidulées et de salades de chou. Terrasse dans le jardin en été. Réservation indispensable. (☎614 7730 ; www.henne-berlin.de, en allemand ; Leuschnerdamm 25 ; demi-poulet 7,90 € ; ⏰à partir de 19h mar-sam, à partir de 17h dim ; U-Bahn Kottbusser Tor, Moritzplatz)

Max und Moritz

ALLEMAND €€

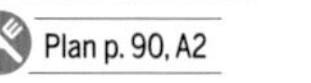

6 Plan p. 90, A2

Véritable ode au bon vieux temps, ce pub-brasserie porte le nom des personnages de bande dessinée joufflus créés par Wilhelm Busch. Depuis 1902, on se presse dans ses salles décorées de faïence et de stuc pour déguster les bières maison et une cuisine berlinoise à l'ancienne. (www.maxundmoritzberlin.de ; Oranienstrasse 162 ; plats 9-15 € ; à partir de 17h ; U-Bahn Moritzplatz)

Kimchi Princess

CORÉEN €€

7 Plan p. 90, C3

Si vous n'avez jamais mangé coréen, choisissez cette adresse pour vous initier. On y sert des classiques comme le *bibimbap* (riz, légumes, viande, œuf au plat), mais la plupart des clients optent pour les grillades cuites devant eux et accompagnées de délicieux *panchan* (garnitures). Pour les amateurs de plats épicés. (0163 458 0203 ; www.kimchiprincess.com ; Skalitzer Strasse 36 ; plats 8,50-23,50 € ; dîner ; U-Bahn Görlitzer Bahnhof)

Burgermeister

AMÉRICAIN €

8 Plan p. 90, G2

C'est vert, ouvragé, centenaire et autrefois... c'étaient des toilettes. Aujourd'hui, toujours sous les voies d'U-Bahn, on y sert des hamburgers pur bœuf dodus, accompagnés de frites superbes et de sauces maison (cacahouète, mangue-curry). (Oberbaumstrasse 8 ; hamburgers 3-4 € ; 11h-2h ou plus tard ; U-Bahn Schlesisches Tor)

Il Casolare

PIZZERIA €

9 Plan p. 90, A4

Ici, les pizzas – fines, croustillantes, énormes et bon marché – sont sensationnelles et le *Biergarten* en bord de canal est l'endroit idéal pour leur faire un sort. (Grimmstrasse 30 ; pizzas 6-9 € ; 12h-24h ; U-Bahn Schönleinstrasse)

Prendre un verre

Club der Visionäre

BAR, CLUB

10 Plan p. 90, H4

Boissons, pizzas et électro pointue sont au menu de ce lieu de détente et de fête aménagé dans un ancien hangar à bateaux en bord de canal. Installez-vous sous les saules ou sur le gazon de la terrasse. Le week-end, les fêtards occupent les lieux 24h/24. Carton rouge pour les toilettes. (www.clubdervisionaere.com, en allemand ; Am Flutgraben 1 ; à partir de 14h lun-ven, à partir de 12h sam-dim, généralement mai-sept ; U-Bahn Schlesisches Tor)

Watergate

CLUB

11 Plan p. 90, G2

La nuit paraît courte dans ce club survolté. Situé en bord de rivière,

À savoir

Rues festives

Outre Kottbusser Tor, l'Oranienstrasse et la Schlesische Strasse sont des secteurs de sortie, mais la Wiener Strasse et surtout la Skalitzer Strasse les rattrapent.

Comprendre

La techno berlinoise

La musique électronique plonge peut-être ses racines dans la house de Detroit, mais c'est depuis Berlin qu'elle a conquis le monde. Dr Motte et DJ Westbam, qui ont tous deux connus le succès commercial avec des sons house et électro, sont considérés comme les parrains de la techno berlinoise. Ils ont donné leurs premières soirées DJ en 1987-1988 à l'UFO – le premier grand club de techno (illégal) – et cofondé la défunte Love Parade.

Après la fermeture du second club UFO en 1991, la fratrie techno-sonique s'est installée dans de grandes salles, l'E-Werk et le Tresor, qui ont lancé la superstar berlinoise en treillis DJ Tanith et le pionnier de la trance Paul van Dyk. Tresor est aujourd'hui un label international développant de nombreux produits dérivés. Parmi les autres artistes pionniers, citons Marusha, dont le tube *Somewhere over the Rainbow* (1994) a inauguré la dance music commerciale. D'autres DJ restent plus fidèles à l'esprit originel, comme la célèbre Ellen Allien, cofondatrice du label BPitch.

Actuellement, la techno pure est un courant marginal face aux innombrables formes que prend la musique électronique programmée par les discothèques. La house est moins omniprésente à Berlin que dans le reste de l'Europe et aux États-Unis, mais elle domine encore les lieux ultrabranchés comme le Panorama Bar (p. 108) et le Cookies (p. 37).

Autre genre dérivé, le breakbeat est venu de Grande-Bretagne. Le principal label berlinois dans ce domaine est Shitkatapult, dont le principal artiste, Apparat, cultive une techno mélodique et une électropop foisonnante à base d'expériences sonores et vocales. Apparat collabore aussi avec d'autres artistes comme le duo Modeselektor. Autre DJ de renommée internationale, Paul Kalkbrenner a joué en 2008 dans le film semi-autobiographique *Berlin Calling*.

N'oublions pas le grand label du collectif Get Physical, qui produit notamment le dynamique duo de DJ M.A.N.D.Y., réputé pour sa house et son électro mâtinées de techno minimale et de funk.

We Call it Techno! est un excellent film sur les débuts de la techno en Allemagne, produit pas Sense Music & Media (www.sense music.de).

il comporte deux niveaux, des baies panoramiques et un ponton flottant donnant sur l'Oberbaumbrücke et le siège d'Universal Music. On danse sans retenue sur une excellente programmation électro. Attente longue et sélection stricte à l'entrée le week-end. (www.water-gate.de ; Falckensteinstrasse 49a ; jeu-sam ; U-Bahn Schlesisches Tor)

Madame Claude
BAR, CONCERTS

12 Plan p. 90, F3

On se moque littéralement des lois de la gravité dans ce bar à la David Lynch où le mobilier est accroché au plafond et les moulures collées par terre. Pas de panique : il y a aussi des banquettes confortables, plus un quiz musical, des concerts ou des DJ et scène ouverte le dimanche. (Lübbener Strasse 19 ; U-Bahn Schlesisches Tor, Görlitzer Bahnhof)

Freischwimmer
CAFÉ, BAR

13 Plan p. 90, H3

Peu d'adresses sont aussi idylliques que ce hangar à bateau des années 1930 devenu un lieu de détente en bord de canal. Bavardage, bière fraîche, carte des quatre vents pour manger, brunch dominical... (Vor dem Schlesischen Tor 2a ; à partir de 16h lun-ven, à partir de 10h sam-dim, se renseigner en hiver ; U-Bahn Schlesisches Tor)

Ankerklause
BAR

14 Plan p. 90, B4

Ce bar à la déco nautique kitsch, équipé d'un super juke-box, occupe une ancienne capitainerie. Idéal pour se désaltérer tout en saluant les bateaux qui circulent sur le canal. On y sert aussi des petits-déjeuners et des en-cas. (www.ankerklause.de, en allemand ; Kottbusser Damm 104 ; à partir de 16h lun, à partir de 9h mar-dim ; U-Bahn Schönleinstrasse)

Sortir

Magnet
CONCERTS, CLUB

15 Plan p. 90, G2

Ce bastion de la musque indépendante et alternative est réputé pour sa capacité à détecter les stars de demain. Après les concerts, la clientèle, estudiantine pour la plupart, envahit la piste excitée, par un son britpop, indélectronique, néodisco, rock ou punk, selon les soirs. (www.magnet-club.de, en allemand ; Falckensteinstrasse 48 ; mar-sam ; U-Bahn Schlesisches Tor)

Lido
CONCERTS, CLUB

16 Plan p. 90, G3

Cet ancien cinéma des années 1950 est devenu une Mecque rock-indé-électro-pop à l'ambiance déchaînée où l'on se préoccupe plus de la musique que de son apparence. DJ de renommée mondiale et créateurs de son au talent prometteur font bouger les foules. Les fêtes Balkanbeats dont la réputation n'est plus à faire y sont aussi programmées. (www.lido-berlin.de, en allemand ; Cuvrystrasse 7 ; U-Bahn Schlesisches Tor)

100% berlinois

Tous à bord du Badeschiff

Une ancienne barge fluviale remplie d'eau et amarrée sur la Spree, c'est cela la **Badeschiff** (plan p. 90, H3 ; www.arena-berlin.de, en allemand ; Eichenstrasse 4), la piscine-solarium préférée des jeunes Berlinois dans le vent. Le soir il y a des fêtes, des concerts, des films ou le calme au bord de l'eau. En hiver, la Badeschiff se couvre et devient un endroit délicieusement chaud avec saunas et lounge bar.

Shopping

Killerbeast

MODE

17 Plan p. 90, G3

Tuer l'uniformité, telle est la devise de cette adresse où Claudia et ses collègues fabriquent de nouveaux vêtements à partir d'anciens dans l'arrière-boutique. Toutes les pièces sont uniques, les prix très raisonnables et il y a même des vêtements pour enfants. (www.killerbeast.de, en allemand ; Schlesische Strasse 31 ; 15h-20h lun, 13h-20h mar-ven, 13h-17h sam ; U-Bahn Schlesisches Tor)

Overkill

MODE

18 Plan p. 90, F2

Magazine consacré à l'art urbain lors de sa création en 1992, *Overkill* est devenu une référence en matière de baskets et de streetwear. On trouve dans cette boutique un mur entier de chaussures en éditions limitées de marques cultes comme Onitsuka Tiger, Converse et Asics (notamment des chaussures sans cuir) et des marques d'importations comme Stüssy, KidRobot, Darkhorse, Cake et MHI. (www.overkill.de ; Köpenicker Strasse 195a ; 11h-20h lun-sam ; U-Bahn Schlesisches Tor)

UKO Fashion

MODE

19 Plan p. 90, C3

La qualité à prix plancher, telle est la formule qui vaut à cette boutique bien ordonnée une clientèle fidèle. Une véritable mine pour les dernières créations féminines signées Pussy Deluxe et Muchacha, les articles d'occasion Esprit ou Zappa, et les fin de série Vero Moda, Only et Boyco. (www.uko-fashion.de, en allemand ; Oranienstrasse 201 ; 11h-20h lun-ven, 11h-16h sam ; U-Bahn Görlitzer Bahnhof)

Hardwax

MUSIQUE

20 Plan p. 90, B3

À l'avant-garde de la musique électronique depuis une vingtaine d'années, cette adresse bien cachée est un passage obligé pour les fans de techno, house, minimale et dubstep. (www.hardwax.com ; 2e étage, port A, 2e cour, Paul-Lincke-Ufer 44a ; 12h-20h lun-sam ; U-Bahn Kottbusser Tor)

100% berlinois
Balade à Neukölln

Comment y aller

Neukölln est séparé de Kreuzberg, au nord, par le Landwehrkanal.

U-Bahn Descendez à la station Schönleinstrasse (U8). La station la plus proche de la fin de l'itinéraire est Karl-Marx-Strasse (U7).

Le nord de Neukölln est en pleine mutation. Autrefois réputé l'un des quartiers les moins sûrs de Berlin, où même les écoles étaient peu fréquentables, ce quartier multiculturel au sud de Kreuzberg est aujourd'hui au summum de la "branchitude". Également appelé Kreuzkölln, il a vu fleurir une multitude de bars et cafés bohèmes et d'espaces artistiques alternatifs. Venez vite découvrir ce quartier atypique avant qu'il ne connaisse un embourgeoisement fulgurant.

1 Café Jacques

Apprécié des chefs cuisiniers et des gastronomes locaux, le **Café Jacques** (☎694 1048 ; Maybachufer 8 ; plats 10-16 € ; ⏰dîner) charme par son éclairage aux chandelles, sa décoration chaleureuse, son excellent vin et sa carte d'inspiration française et nord-africaine. Réservation indispensable.

2 Türkenmarkt

On se croirait le long du Bosphore sur ce **marché fermier** (Maybachufer ; ⏰12h-18h30 mar et jeu) animé en bordure de canal. Faites provision d'olives, de fromages à tartiner, de pain sans levain et de produits frais parmi les moins chers de Berlin, puis mettez le cap vers l'ouest pour pique-niquer le long du canal.

3 Hüttenpalast

Ancienne usine d'aspirateurs, **Hüttenpalast** (www.huettenpalast.de ; Hobrechtstrasse 66 ; ⏰8h-18h lun-sam, 8h-16h dim) est un hôtel ludique qui permet de dormir dans une caravane ou une cabane en bois ! Détendez-vous ou jouez dans le jardin parmi les herbes folles et les légumes, dégustez au café un petit-déjeuner bio, un déjeuner végétarien ou des pâtisseries maison.

4 Sauvage

Au **Sauvage** (www.sauvageberlin.com ; Pflügerstrasse 25 ; plats 10-20 € ; ⏰dîner mar-dim), premier “paléorestaurant” de Berlin, aménagé avec goût dans une ancienne maison close, on mange comme en 10 000 avant J.-C. : ni céréales, ni fromage, ni sucre, mais des plats bio à base de poisson, viande, œufs, herbes, graines, huiles, fruits et légumes sauvages.

5 Berlin Burger International

On ne plaisante pas avec la taille au **BBI** (www.berlinburgerinternational.com ; Pannierstrasse 5 ; hamburgers à partir de 3,90 € ; ⏰13h-23h), du moins pas avec celle des hamburgers, artisanaux et énormes.

6 Ä

L'un des ancêtres de Neukölln, l'**Ä** (www.ae-neukoelln.de, en allemand ; Weserstrasse 40 ; ⏰à partir de 17h) reste une bonne adresse où sortir. Dans une ambiance décontractée, le programme est varié : DJ, concerts, feuilleton dont les vedettes sont de vieilles peluches, flippers…

7 Sameheads

À la fois boutique, café, bar et discothèque, **Sameheads** (www.sameheads.com ; Richardstrasse 10 ; ⏰11h-tard) propose des articles de mode signés par de jeunes créateurs, mais aussi des projections de films bizarres, un quiz désopilant, des dîners avec buffet à volonté et des fêtes décalées.

8 Neuköllner Oper

Dans une salle de bal d'avant-guerre, loin des opéras huppés, le **Neuköllner Oper** (☎688 9070 ; www.neukoellneroper.de, en allemand ; Karl-Marx-Strasse 131-133) cultive un répertoire anti-élitiste qui va des comédies musicales pas débiles aux productions originales en passant par les reprises expérimentales d'œuvres classiques.

Explorer

Friedrichshain

Les loyers grimpent, le quartier s'embourgeoise irrésistiblement, mais on sait encore s'amuser dans ce secteur estudiantin. Respirez un parfum d'antan dans la très socialiste Karl-Marx-Allee, rappelez-vous l'euphorie de la réunification le long de l'East Side Gallery avant de choisir un bar du côté de la Boxhagener Platz. Terminez la nuit par un "dansethon" caritatif dans une grande discothèque techno.

L'essentiel en un jour

Rendez-vous dans l'Am Ostbahnhof pour rencontrer les fantômes de la guerre froide le long de l'**East Side Gallery** (photo ci-contre ; p. 102). Après une séance photo, prenez un remontant au café d'**Universal Music** (p. 103) ou allez directement déjeuner au **Michelberger** (p. 106).

Après le déjeuner, rejoignez à pied la **Karl-Marx-Allee** (p. 106), bordée d'édifices monumentaux dont certains sont ornés de porcelaine de Meissen. Une halte au **Café Sybille** (p. 106) vous permettra d'approfondir vos connaissances à propos de ce boulevard tellement caractéristique de l'ex-RDA. Ensuite, bondissez dans le métro U5 sur la Strausberger Platz. Descendez à Samariterstrasse pour flâner sur la Boxhagener Platz, visiter ses boutiques bobos, déguster une glace chez **Caramello** (p. 108) ou regarder jouer les enfants.

Faites le point sur votre journée devant une Pilsner locale chez **Hops & Barley** (p. 107) avant de filer chez **Schwarzer Hahn** (p. 106) pour déguster une cuisine allemande de qualité dans un cadre sans prétention. Terminez la soirée autour d'un verre de bordeaux au **Place Clichy** (p. 107) ou d'un cocktail au **Süss war Gestern** (p. 108).

Les incontournables

East Side Gallery (p. 102)

Le meilleur du quartier

Se restaurer

Schwarzer Hahn (p. 106)

Bars

Strandgut Berlin (p. 108)

Süss War Gestern (p. 108)

Clubs

Berghain/Panorama Bar (p. 108)

://about blank (p. 108)

Concerts

Astra Kulturhaus (p. 109)

Gays et lesbiens

Zum Schmutzigen Hobby (p. 108)

Himmelreich (p. 109)

Berghain (p. 108)

Comment y aller

S-Bahn Warschauer Strasse (S3, S5, S7/75, S9) est la station la plus centrale.

Tram Le M13 relie la station Warschauer Strasse à la Boxhagener Platz.

U-Bahn Les stations Frankfurter Tor (U5) et Warschauer Strasse (U1) sont les plus pratiques.

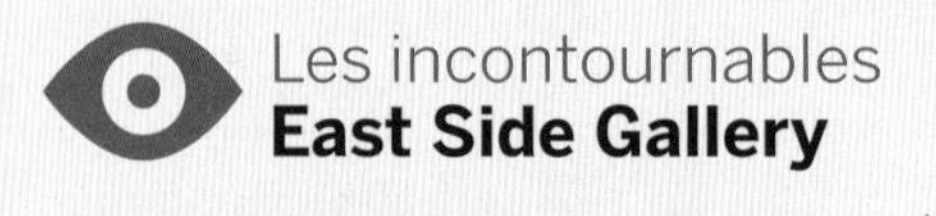

Les incontournables
East Side Gallery

C'était en 1989. Après 28 ans d'existence, le mur de Berlin tombait enfin. La plus grande partie en était rapidement démolie mais une portion de 1,3 km dans la Mühlenstrasse, le long de la Spree, était conservée sous le nom d'East Side Gallery, devenant la plus grande galerie au monde de fresques en plein air. Quelque 100 œuvres y ont été réalisées par des artistes internationaux, traduisant l'euphorie et l'optimisme général du moment, avec des messages politiques, psychédéliques ou véritablement artistiques. L'East Side Gallery a été restaurée en 2009.

Plan p. 104, C4

www.eastsidegallery-berlin.de

Mühlenstrasse entre Oberbaumbrücke et Ostbahnhof

gratuit

24h/24

U-/S-Bahn Warschauer Strasse ; S-Bahn Ostbahnhof

À ne pas manquer

Le Baiser de l'amitié (Bruderkuss)

Adaptée d'un cliché pris par le journaliste français Régis Bossu pendant une visite de Brejnev à Berlin en 1979, l'œuvre la plus célèbre de la galerie signée Dimitri Vrubel montre le dirigeant soviétique et Erich Honecker s'embrassant sur la bouche les yeux fermés. Le baiser sur la bouche était une marque de profond respect dans les pays socialistes.

Tester le meilleur (Test the Rest)

Également fameuse, cette fresque de Birgit Kinder montre une Trabant (une voiture de la célèbre marque automobile est-allemande) traversant le Mur et immatriculée "NOV•9-89", pour "9 novembre 1989" date de la chute du Mur.

Ça c'est passé en novembre (Es geschah im November)

Une marée humaine déferlant à travers une brèche dans le Mur, par cette œuvre Kani Alavi a voulu évoquer la renaissance autorisée par les événements de novembre 1989. Les visages expriment toutes sortes de sentiments : l'espoir, la peur, l'euphorie, l'incrédulité.

Hommage à la jeune génération

Ces têtes de couleurs vives, dessinées dans un style cartoon par le Français Thierry Noir, symbolisent la liberté retrouvée après la chute du Mur.

Excursion dans le secteur japonais (Detour to the Japanese Sector)

Né à Berlin-Est, Thomas Klingenstein a été emprisonné par la Stasi avant d'être extradé vers l'Allemagne de l'Ouest en 1980. Cette fresque lui a été inspirée par son amour pour le Japon, où il a vécu de 1984 jusqu'au milieu des années 1990.

À savoir

- Les œuvres les plus célèbres se trouvent du côté de l'Ostbahnhof. Commencez votre visite par là si votre temps est compté.
- Le mur est aussi orné de fresques du côté de la rivière.
- Organisée chaque mercredi à partir de 19h sur l'*Eastern Comfort Hostel Boat*, amarré près de l'Oberbaumbrücke, la World Language Party est l'occasion de rencontrer des Berlinois et des expatriés.

Une petite faim ?

Foulez le sable au Strandgut Berlin (p. 108), un des bars de plage situés au bord de la Spree derrière l'East Side Gallery.

Au bord de la rivière, offrez-vous un café, un en-cas ou un repas chaud en compagnie du personnel d'**Universal Music** (plan p. 104, D5 ; Stralauer Allee 1 ; 8h-20h lun-ven avr-sept, 8h-18h oct-mars), dans leur café d'entreprise.

A
B
C
D
1
2
3
4
5
Strausberger Platz
Weidenweg
Weberwiese
Karl-Marx-Allee
Krautstr
Strasse der Pariser Kommune
Singerstr
Rüdersdorfer
Franz-Mehring-Platz
Marchlewskistr
Koppenstr
Andreasstr
Gubener Str
Wedekindstr
Wriezener Karree
RüdersdorferStr
Corneliusplatz
Ostbahnhof
12
Am Ostbahnhof
Stralauer Platz
Schillingbrücke
An der Ostbahn
FRIEDRICHSHAIN
Helsingforser Str
Helsingforser Platz
Mühlenstr
Mildred-Harnack-Str
Helen-Ernst-Str
O2 World
Hedwig-Wachenheim-Str
Tamara-Danz-Str
11
East Side Gallery
0
400 m
16
Warschauer Str
WarschauerPlatz
4
Spree
Manteuffelstr
Köpenicker Str
Schlesisches Tor
Am Oberbaum
Stralauer Allee
Oberbaumbrücke
Nos adresses
Les incontournables p. 102
Voir p. 106
Se restaurer p. 106
Prendre un verre p. 107
Sortir p. 109
Shopping p. 109

E
F
G
H
1
2
3
4
5
Bänschstr
Rigaer Str
Proskauer Str
Schreinerstr
Samariterstr
1
Frankfurter Tor
Karl-Marx-Allee
Frankfurter Allee
Samariterstr
Kadiner Str
Niederbarnimstr
Mainzer Str
Weichselstr
Boxhagener Str
Grünberger Str
Simon-Dach-Str
Gabriel-Max-Str
Gärtnerstr
5
18
Boxhagener Platz
19
Warschauer Str
Kopernikusstr
15
6
Krossener Str
2
Holteistr
Wühlischstr
3
7
Simon-Dach-Str
8
9
Simplonstr
Seumestr
10
17
Revaler Str
14
Sonntagstr
Lenbachstr
Neue Bahnhofstr
Rudolfstr
Rotherstr
Rudolfplatz
Modersohnstr
Ehrenbergstr
Corinthstr
Ostkreuz
Hauptstr
13

Plein feu sur la KMA

Pour en savoir plus sur la Karl-Marx-Allee (KMA), allez prendre un café au **Café Sybille** (plan p. 104, B1 ; Karl-Marx-Allee 72 ; entrée libre ; 10h-20h lun-ven, 12h-20h sam-dim), qui présente une intéressante exposition sur les moments forts de l'avenue, de la première pierre à nos jours.

Voir

Karl-Marx-Allee

SITE HISTORIQUE

1 Plan p. 104, E1

Cette avenue monumentale est un des plus impressionnants vestiges de la RDA. Construite entre 1952 et 1960, la Karl-Marx-Allee (KMA) est large de 90 m et s'étire sur 2,3 km entre l'Alexanderplatz et la porte de Francfort. Ses immeubles modernes, orgueils de la RDA, servaient de décor à d'imposants défilés militaires. (U-Bahn Strausberger Platz, Weberwiese, Frankfurter Tor)

Se restaurer

Schwarzer Hahn

ALLEMAND €€

2 Plan p. 104, G3

Ce bistrot élégant, membre du mouvement *Slow Food*, met l'accent sur une cuisine allemande traditionnelle finement revisitée. Service impeccable et belle carte des vins. (2197 0371 ; Seumestrasse 23 ; plats 8-20 € ; déj lun-ven, dîner lun-sam ; U-/S-Bahn Warschauer Strasse ; U-Bahn Samariterstrasse ; S-Bahn Ostkreuz ; M13)

Spätzle & Knödel

ALLEMAND €€

3 Plan p. 104, G3

Ce gastropub décontracté propose une cuisine familiale du sud de l'Allemagne. La déco laisse à désirer, mais on l'oublie devant les copieuses portions de rôti de porc, goulash, *Kässpätzle* (pâtes au fromage) ou *Knödel* (gnocchis). Bières Augustiner, Riegele et Unertl pression. (2757 1151 ; Wühlischstrasse 20 ; plats 8-15 € ; dîner ; U-/S-Bahn Warschauer Strasse ; U-Bahn Samariterstrasse ; S-Bahn Ostkreuz ; M13)

Michelberger

MÉDITERRANÉEN €

4 Plan p. 104, D5

Dans cet hôtel parmi les plus branchés de Berlin, les cols blancs et les visiteurs de l'East Side Gallery déjeunent en semaine dans une vaste salle à manger carrelée. Les plats, renouvelés chaque jour, sont d'inspiration méditerranéenne (ratatouille, polenta, pâtes accommodées avec originalité). (Warschauer Strasse 39-40 ; plats 5-10 € ; 12h-14h30 lun-ven ; U-/S-Bahn Warschauer Strasse ;)

Lemon Leaf

VIETNAMIEN €

5 Plan p. 104, F3

Bon marché et pimpant, ce n'est pas sans raison que ce restaurant est toujours rempli d'une fidèle clientèle branchée. Sa carte indochinoise légère, créative et fraîche est pratiquement sans fausse note.

Plutôt réduite, elle se complète de plats du jour. Le lassi maison à la mangue est une merveille. (Grünberger Strasse 69 ; plats 5-9 € ; U-Bahn Frankfurter Tor)

Burgeramt

AMÉRICAIN €

6 Plan p. 104, F3

Il faut parfois patienter dans ce resto de hamburgers très apprécié, mais ses spécialités en valent la peine. (Krossener Strasse 22 ; plats 3-5 € ; 12h-1h ; U-Bahn Frankfurter Tor ; U-/S-Bahn Warschauer Strasse)

Prendre un verre

Hops & Barley

BRASSERIE

7 Plan p. 104, G3

La conversation coule aussi librement que la bière de froment non filtrée, maltée, brune et fruitée, et le cidre puissant de cette micro-brasserie installée dans une ancienne boucherie. Partagez la table de Berlinois discrets venus descendre quelques pintes après le travail, entre des murs recouverts de faïence et des cuves en cuivre rutilantes. (www.hopsandbarley-berlin.de, en allemand ; Wühlischstrasse 22-23 ; U-/S-Bahn Warschauer Strasse ; U-Bahn Samariterstrasse ; S-Bahn Ostkreuz ; M13)

Kptn A Müller

BAR

8 Plan p. 104, F3

Le "Capitaine" change agréablement des bars à cocktails standardisés de Berlin. On y vient en toute simplicité, on s'y sert soi-même, les consommations sont bon marché, le baby-foot et le Wi-Fi gratuits. (www.kptn.de, en allemand ; Simon-Dach-Strasse 32 ; U-/S-Bahn Warschauer Strasse ;)

Place Clichy

BAR

9 Plan p. 104, E3

Voici un bar à vin aux accents parisiens dans la partie inférieure de la Simon-Dach-Strasse. Éclairé aux chandelles, douillet et décoré par un artiste, cet établissement minuscule dégage une atmosphère presque existentialiste. Sortez votre col roulé noir pour vous mêler à sa clientèle bavarde, qui apprécie le bordeaux et les fromages goûteux. (Simon-Dach-Strasse 22 ; mar-sam ; U-/S-Bahn Warschauer Strasse ; M10, M13)

Le pont Oberbaumbrücke sur la Spree

100% berlinois

Glace de rêve

Il y a des glaciers et il y a **Caramello** (plan p. 104, F3 ; Wühlischstrasse 31 ; à partir de 11h ; U-/S-Bahn Warschauer Strasse). Il faut toujours faire la queue devant ses 40 parfums, de la pistache à l'orange amère, tous bio et faits maison. Végétaliens et intolérants au lactose y trouveront des glaces à base de soja. Il y a aussi du café corsé et d'appétissantes pâtisseries.

Süss War Gestern BAR

10 Plan p. 104, G4

La musique électro et les cocktails savoureux vous plongent dans une ambiance suave, les lumières tamisées embellissent tout le monde – mais les sofas rétro sont si moelleux qu'on peine à s'en extraire pour commander un autre verre. Goûtez le cocktail qui porte le nom de ce bar, à base de gingembre frais, de soda au gingembre et de whisky. Lieu fumeurs. (Wühlischstrasse 43 ; à partir de 20h lun-sam ; U-/S-Bahn Warschauer Strasse ; U-Bahn Samariterstrasse ; M10, M13)

Strandgut Berlin BAR DE PLAGE

11 Plan p. 104, B4

Buvez à la santé du Berlin un et indivisible dans le plus beau des bars de plage proches de l'East Side Gallery. La bière est fraîche, les cocktails forts, la clientèle mûre et les DJ excellents. (www.strandgut-berlin.com, en allemand ; Mühlenstrasse 61-63 ; à partir de 10h ; S-Bahn Ostbahnhof ;)

Berghain/Panorama Bar CLUB

12 Plan p. 104, C3

Seuls les meilleurs DJ de la planète mixent dans ce club installé dans le labyrinthe d'une ancienne centrale électrique. À l'étage, le Panorama Bar vibre au son de la house et de l'électro, tandis que le vaste rez-de-chaussée (Berghain) affiche des tendances gays et hard techno. Contrôle à l'entrée, pas d'appareils photo. (www.berghain.de ; Am Wriezener Bahnhof ; ven-sam ; S-Bahn Ostbahnhof)

://about blank CLUB

13 Plan p. 104, G5

Ce club coopératif organise aussi des événements culturels et politiques, souvent suivis de longues nuits où des DJ de talent mixent pour une clientèle hétéroclite. Si vous aimez l'esprit d'ouverture du lieu, vous y passerez une soirée mémorable. (www.aboutparty.net, en allemand ; Markgrafendamm 24c ; jeu-sam ; S-Bahn Ostkreuz)

Zum Schmutzigen Hobby BAR GAY

14 Plan p. 104, F4

Nina Queer, la déesse drag-queen de Berlin, a quitté Prenzlauer Berg pour ouvrir un repaire kitsch et glam dans un quartier moins convenu, parmi la jeunesse tranquille de Friedrichshain. Son "Glamour Trivia Quiz" du mercredi est célèbre. (www.ninaqueer.

com ; Revaler Strasse 99, RAW, porte 2 ; U-/S-Bahn Warschauer Strasse)

Himmelreich BAR GAY

15 Plan p. 104, F3

La déco de ce petit bar à cocktail rouge, à l'esprit lounge rétro, est fort réussie et n'a rien à redouter de la concurrence. Le mardi est réservé aux femmes. Le mercredi, une boisson est offerte pour chaque boisson achetée. (www.himmelreich-berlin.de, en allemand ; Simon-Dach-Strasse 36 ; U-/S-Bahn Warschauer Strasse)

Monster Ronson's Ichiban Karaoke KARAOKÉ

16 Plan p. 104, D4

Prenez une bière pour vous détendre avant de vous égosiller sur Abba ou Lady Gaga dans ce bar à karaoké échevelé. La scène accueille les candidats à *La Nouvelle Star* tandis que des salles privées abritent les exploits des plus timides. (8975 1327 ; www.karaokemonster.de, en allemand ; Warschauer Strasse 34 ; U-/S-Bahn Warschauer Strasse)

Sortir

Astra Kulturhaus CONCERTS

17 Plan p. 104, E4

Cette salle de 1 500 spectateurs, une des plus grandes consacrées à la musique indé à Berlin, se remplit facilement – et pas seulement pour des têtes d'affiche comme Melissa Etheridge, Kasabian ou Eels. La décoration socialiste des années 1950 est un régal. *Biergarten* l'été. (www.astra-berlin.de, en allemand ; Revaler Strasse 99 ; U-/S-Bahn Warschauer Strasse)

Shopping

Flohmarkt am Boxhagener Platz MARCHÉ AUX PUCES

18 Plan p. 104, F3

Se tenant autour de la verdoyante Boxhagener Platz, ce marché aux puces se trouve dans le périmètre des cafés proposant des brunchs dominicaux. Les vendeurs professionnels côtoient les amateurs qui se débarrassent de leurs vieilleries. (Boxhagener Platz ; 10h-18h dim ; U-/S-Bahn Warschauer Strasse ; U-Bahn Frankfurter Tor)

Mondos Arts CADEAUX, SOUVENIRS

19 Plan p. 104, G3

Les objets cultes et kitsch semblent être les survivants les plus coriaces de la RDA. Ils envahissent l'espace de cette boutique pittoresque baptisée du nom d'une marque de préservatifs. La visite est toujours amusante, même si l'on n'a pas grandi avec l'émission *Sandmännchen* ("Le Marchand de sable"), le rock des Puhdys ou la bière Red October. (www.mondosarts.de, en allemand ; Gärtnerstrasse 12 ; 12h-19h lun-ven, 12h-18h sam ; U-Bahn Samariterstrasse)

Explorer

Prenzlauer Berg

Prenzlauer Berg, qui a connu une ascension fulgurante après la réunification, est devenu un quartier peuplé de bobos. Une promenade permet d'en découvrir les charmes. Admirez les hôtels particuliers restaurés, explorez les petites rues où se nichent des boutiques de mode, prenez place dans un café surprenant. Le dimanche, le Mauerpark se change en lieu de distraction doublé d'un marché aux puces.

L'essentiel en un jour

Pour bien commencer la journée, succombez au café corsé et au délicieux petit-déjeuner servis chez **Anna Blume** (p. 119), de préférence en terrasse. Occupez le reste de votre matinée en vous baladant jusqu'à la Kollwitzplatz à travers les petites rues, en visitant les boutiques de mode chics, de mobilier design, de vêtements bio pour bébés, de chocolats artisanaux, etc. Rejoignez au nord la verdoyante Husemannstrasse et admirez l'architecture de brique rouge du **Kulturbrauerei** (p. 120).

Commandez une *Currywurst* (saucisse au curry) au **Konnopke's Imbiss** (p. 118) et vous jugerez si la file d'attente est justifiée. Continuez par un peu de shopping sur la Kastanienallee et l'Oderberger Strasse avant de mettre le cap sur le **Mauerpark** (p. 112) et d'essayer d'imaginer à quoi il ressemblait à l'époque où le Mur le traversait.

Retournez vers la Kastanienallee pour prendre une bière sous les grands châtaigniers du **Prater** (p. 118), le plus ancien *Biergarten* berlinois. Le soir, allez dîner tout près à l'**Oderquelle** (p. 117) ou, pour une cuisine encore plus locale, rendez-vous au **Frau Mittenmang** (p. 116).

Pour profiter de Prenzlauer Berg un dimanche, voir p. 112.

100% berlinois

Dimanche au Mauerpark (p. 112)

Le meilleur du quartier

Se restaurer

Frau Mittenmang (p. 116)

W – der Imbiss (p. 118)

Schusterjunge (p. 118)

Oderquelle (p. 117)

Shopping

Marché aux puces de Mauerpark (p. 113)

Flohmarkt am Arkonaplatz (p. 120)

Ta(u)sche (p. 121)

Erfinderladen Berlin (p. 120)

Luxus International (p. 121)

Comment y aller

S-Bahn La principale station est celle de Schönhauser Allee (S8, S9, S41 et S42).

Tram La ligne la plus utile est la M1, qui rejoint Mitte via Schönhauser Allee et Kastanienallee.

U-Bahn Sur la ligne U2, en provenance d'Alexanderplatz, descendez à Eberswalder Strasse.

100% berlinois
Dimanche au Mauerpark

Berlinois de longue date, néo-Berlinois ou touristes, tous affluent au Mauerpark le dimanche. C'est un véritable patchwork où un marché aux puces, un karaoké en plein air, des artistes et des groupes musicaux distraient la foule venue organiser un barbecue, jouer au basket-ball, au badminton ou aux boules. Couverte de graffitis, une portion du Mur qui traversait autrefois le parc veille sur le tout.

❶ Démarrage en beauté

Commencez la journée dans l'Oderberger Strasse, par un petit-déjeuner au **Hüftengold** (Oderberger Strasse 27) ou des gaufres au **Kauf Dich Glücklich** (Oderberger Strasse 44). Les beaux hôtels particuliers du XIXe siècle ont été sauvés de la démolition par les habitants du quartier à la fin des années 1970. Ces derniers se sont récemment mobilisés pour empêcher que les vieux arbres ne succombent à un lifting du quartier.

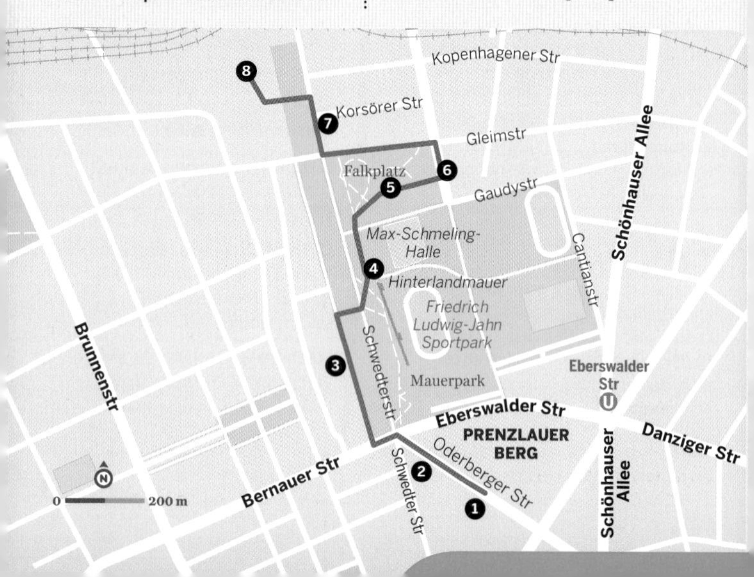

❷ Café Deluxe

Si vous connaissez les machines Synesso Cyncra et le café “troisième vague”, vous parlez le langage de Kiduk et Yumi, propriétaires de ce minuscule temple du kawa baptisé **Bonanza Coffee Heroes** (Oderberger Strasse 35 ; ⌚8h30-17h lun-ven, 10h-17h sam-dim). Le café est torréfié sur place dans une machine ancienne.

❸ Archéologie urbaine

Repus et caféiné, vous voilà prêt à affronter la foule des chineurs, des noctambules aux yeux cernés et des touristes surexcités qui hantent le **marché aux puces de Mauerpark** (⌚10h-19h dim). Trouvez votre bonheur parmi les vêtements rétro, tee-shirts de créateurs locaux, souvenirs de l’ère communiste, vinyles et autres objets incongrus. Stands de nourriture exotique et *Biergärten* permettent de se sustenter.

❹ Bearpit Karaoke

Le plus grand divertissement gratuit de Berlin démarre à 15h, lorsque Joe Hatchiban installe son karaoké mobile, bricolé maison, dans l’amphithéâtre du Mauerpark. Jusqu’à 2 000 personnes s’entassent sur les gradins de pierre pour applaudir les participants, des mômes de 11 ans aux artistes dignes de Broadway. Soyez généreux quand Joe fait la quête : le spectacle doit continuer. En été seulement.

❺ Falkplatz

Téléportez-vous en 1825, quand des soldats prussiens défilaient dans ce qui est aujourd’hui un parc verdoyant ponctué de vénérables châtaigniers, chênes, bouleaux, frênes et peupliers. Détendez-vous sur l’herbe en regardant les enfants qui s’ébattent autour de la fontaine au lion de mer. D’autres sculptures animalières se cachent parmi les arbustes.

❻ Hamburgers saignants

Berlin prend l’accent new-yorkais au **Bird** (www.thebirdinberlin.com ; Am Falkplatz 5 ; plats 9,50-13 € ; ⌚18h-24h lun-ven, 12h-24h sam-dim), un gastropub dont les hamburgers ont bonne réputation. Ils consistent en steaks de 250 g servis dans un muffin grillé.

❼ Café de quartier

Quand le soleil brille, la terrasse du **Café Niesen** (Korsörer Strasse 13 ; plats 1,50-7 € ; ⌚10h-22h avr-oct, 10h-20h nov-mars) est idéale pour déguster un café, des pâtisseries maison, un petit-déjeuner, un en-cas ou un verre de “Niesonade”, rafraîchissant mélange de baies de sureau, de citron et d’eau minérale. Les familles raffolent de l’adresse, mais il y a aussi une salle réservée aux adultes pour boire son *latte* en paix.

❽ Nord de Mauerpark

Pour échapper à l’agitation du Mauerpark et découvrir où se détendent les Berlinois avides de calme, rejoignez l’annexe du parc au nord de la Gleimstrasse. C’est ici que se trouve la Jugendfarm Moritzhof, une ferme pédagogique. Un peu plus loin, des casse-cou s’attaquent à la “Schwedter Northface”, un mur d’escalade.

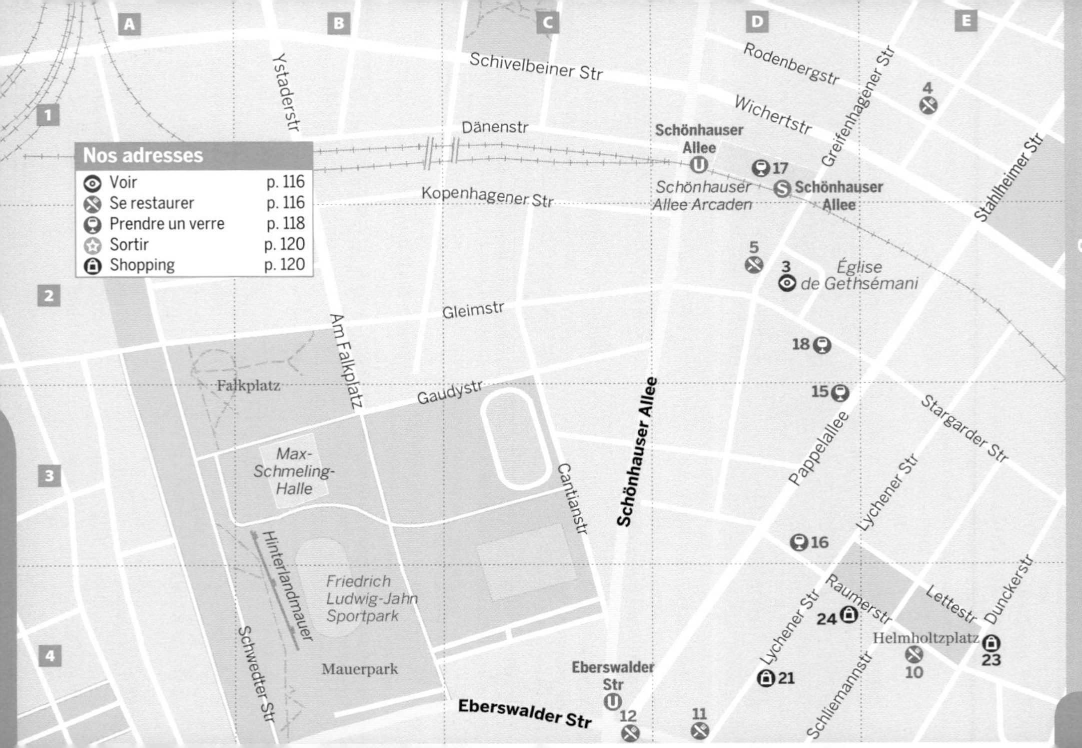

Nos adresses
Voir p. 116
Se restaurer p. 116
Prendre un verre p. 118
Sortir p. 120
Shopping p. 120
Ystaderstr
Schivelbeiner Str
Rodenbergstr
Greifenhagener Str
Stahlheimer Str
Wichertstr
Dänenstr
Schönhauser Allee
Schönhauser Allee Arcaden
Kopenhagener Str
Église de Gethsémani
Gleimstr
Am Falkplatz
Falkplatz
Gaudystr
Cantianstr
Stargarder Str
Pappelallee
Lychener Str
Max-Schmeling-Halle
Friedrich Ludwig-Jahn Sportpark
Hinterlandmauer
Raumerstr
Lettestr
Duncker str
Helmholtzplatz
Schliemannstr
Schwedter Str
Mauerpark
Eberswalder Str

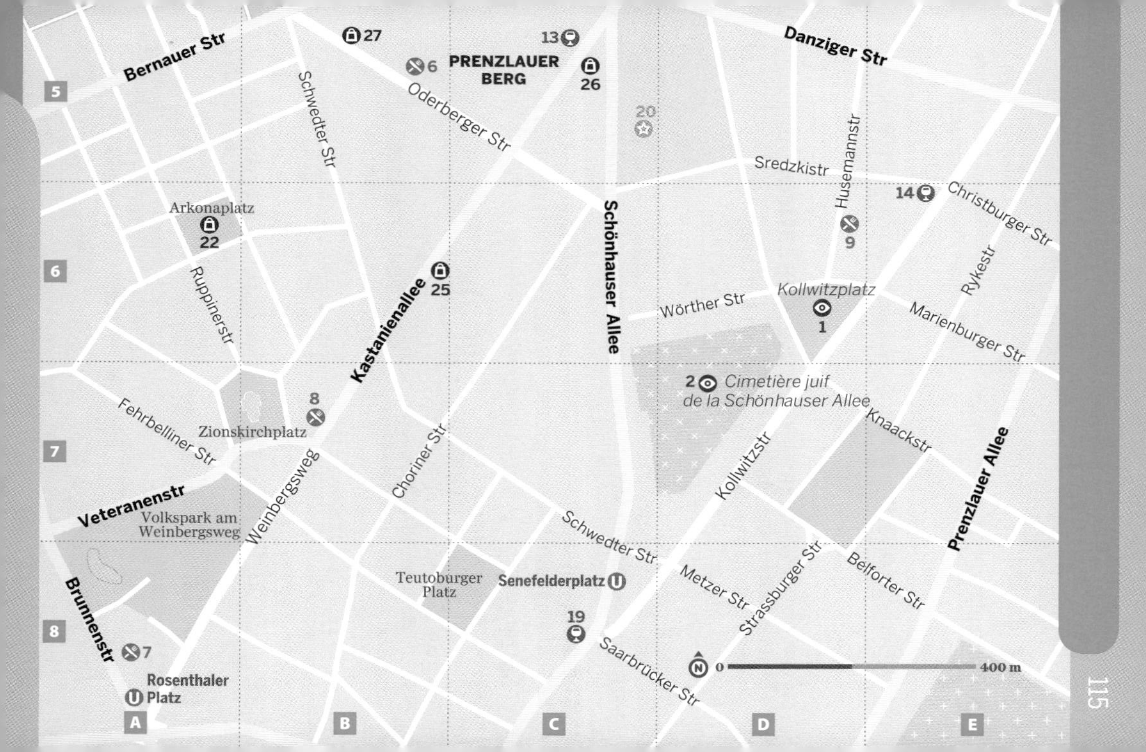

Bernauer Str
PRENZLAUER BERG
Danziger Str
Schwedter Str
Oderberger Str
Sredzkistr
Husemannstr
Christburger Str
Arkonaplatz
Schönhauser Allee
Rykestr
Ruppinerstr
Kastanienallee
Wörther Str
Kollwitzplatz
Marienburger Str
Cimetière juif de la Schönhauser Allee
Fehrbelliner Str
Zionskirchplatz
Choriner Str
Knaackstr
Kollwitzstr
Prenzlauer Allee
Veteranenstr
Volkspark am Weinbergsweg
Weinbergsweg
Schwedter Str
Teutoburger Platz
Senefelderplatz
Metzer Str
Strassburger Str
Belforter Str
Brunnenstr
Saarbrücker Str
Rosenthaler Platz
0
400 m
A
B
C
D
E
5
6
7
8

Voir

Kollwitzplatz PLACE

1 Plan p. 114, D6

La rénovation de Prenzlauer Berg a débuté avec cette place triangulaire aux allures de parc. Dénichez une table pour observer le défilé des mamas yoga, des branchés grisonnants et des touristes en balade. Les enfants se dépensent sur les aires de jeu ou escaladent la statue représentant la plasticienne Käthe Kollwitz (p. 126), dont la place porte le nom. Les marchés fermiers des jeudi et samedi sont des moments privilégiés pour découvrir la place. (U-Bahn Senefelderplatz)

Cimetière juif de la Schönhauser Allee CIMETIÈRE

2 Plan p. 114, D7

Des artistes comme le peintre Max Liebermann et le compositeur Giacomo Meyerbeer reposent dans ce qui était le second cimetière juif de Berlin lors de son inauguration en 1827. Bien que dégradé pendant la Seconde Guerre mondiale, c'est un bel endroit où la lumière filtre à travers les frondaisons des arbres. (Jüdischer Friedhof Schönhauser Allee ; Schönhauser Allee 22 ; 8h-16h lun-jeu, 7h30-14h30 ven ; U-Bahn Senefelderplatz)

Église de Gethsémani NÉOGOTHIQUE

3 Plan p. 114, D2

Cette église néogothique achevée en 1893 fut un foyer de dissidence lors des derniers jours de la RDA. Fin octobre 1989, la Stasi réprima un rassemblement pacifique organisé devant l'église. La sculpture *Geistkämpfer* ("Le Combattant des fantômes" ; 1928), d'Ernst Barlach, se trouve côté sud. (Gethsemanekirche ; www.gethsemanekirche.de ; Stargarder Strasse 77 ; U-/S-Bahn Schönhauser Allee)

Se restaurer

Frau Mittenmang ALLEMAND **€€**

4 Plan p. 114, E1

Ce restaurant tranquille, très populaire dans le quartier, comporte une terrasse sur la rue. Sa carte renouvelée quotidiennement conjugue influences internationales et spécialités allemandes. Installé devant une table vernie, joignez-vous aux Berlinois qui se restaurent, boivent une bière

100% berlinois

Les cafés de la Knaackstrasse

À deux pas de la Kollwitzplatz, l'agréable Knaackstrasse est une rue résidentielle paisible bordée de cafés et de restaurants dont le **Pasternak** (plan p. 114, E7 ; www.restaurant-pasternak.de ; Knaackstrasse 22-24 ; plats 11-21 € ; 9h-1h) et **La Poulette** (plan p. 114, D7 ; www.poulette.de ; Knaackstrasse 30-32 ; plats 16-25 €), respectivement russe et français. L'endroit idéal pour déguster un *latte* sur une terrasse ensoleillée en regardant les passants.

BLOOMBERG VIA GETTY IMAGES ©

Le Prater (p. 118)

maison ou un verre d'excellent vin. (☎444 5654 ; www.fraumittenmang.de, en allemand ; Rodenbergstrasse 37 ; plats 9-17 € ; ⏱dîner ; U-/S-Bahn Schönhauser Allee ; 🚊M1, 12)

A Magica PIZZERIA €€

5 Plan p. 114, D2

Ce bistrot toujours bondé propose avec constance de flamboyantes pizzas napolitaines tout droit sorties d'un four à feu de bois. Elles se marient avec le délicieux rouge maison servi dans des verres à eau. Arrivez de bonne heure avant que les habitués ne réquisitionnent les tables. (Greifenhagener Strasse 54 ; pizza 5-10 € ; ⏱16h-24h ; U-Bahn Schönhauser Allee ; 🚊M1)

Oderquelle ALLEMAND €€

6 Plan p. 114, B5

Le chef de ce restaurant orné de verdure concocte de délicieuses spécialités allemandes, parfois avec une note méditerranéenne. Les *Flammekuche* bien garnies et croustillantes sont une valeur sûre, les vins sont excellents. (☎4400 8080 ; Oderberger Strasse 27 ; plats 10-19 € ; ⏱dîner tlj, déj dim ; U-Bahn Eberswalder Strasse)

Zagreus Projekt INTERNATIONAL €€€

7 Plan p. 114, A8

Art et cuisine se rejoignent dans cet espace dirigé par le chef-artiste-directeur de galerie Ulrich Krauss. Tous les deux mois, il invite un nouvel artiste à créer une installation originale en fonction de laquelle il compose la carte. On mange autour de la longue table commune. Réservation obligatoire. (☎2809 5640 ; www.zagreus.net ; Brunnenstrasse 9a ; dîner 4 plats 35 € ; U-Bahn Rosenthaler Platz)

W – der Imbiss FUSION €

8 Plan p. 114, B7

Hybride des cuisines italienne et indienne, la pizza naan emblématique de la maison, cuite dans un tandoor, décline des garnitures variées, du fromage de chèvre au saumon fumé en passant par le guacamole. Les currys cuits au wok et les tortillas wraps sont également savoureux. Le jus de pomme à la spiruline combat la gueule de bois. (www.w-derimbiss.de ; Kastanienallee 49 ; plats 2-8 € ; 12h-24h ; U-Bahn Rosenthaler Platz ; M1, 12 ;)

Zula ISRAÉLIEN €

9 Plan p. 114, D6

L'humble pois chiche est traité en roi dans ce bistrot israélien où l'houmous frais est servi avec de la pita maison. On peut l'accompagner de crudités, de poulet frit ou de chili con carne. (www.zula-berlin.com, en allemand ; Husemannstrasse 10 ; plats 4-8 € ; 12h-23h lun-ven, 11h-23h sam-dim ; U-Bahn Eberswalder Strasse ;)

The Dairy INTERNATIONAL €

10 Plan p. 114, E4

Les cafés bohèmes ouverts la journée ne manquent pas à Prenzlauer Berg, mais ce petit bistrot sur Helmholtzplatz se distingue par son café corsé, ses pâtisseries dignes de grand-mère, ses sandwichs copieux et ses plats du jour originaux (sauté de kangourou, sandwich au sanglier...). (www.thedairy.de ; Raumerstrasse 12 ; plats 3-6,50 € ; 8h-18h ; U-Bahn Eberswalder Strasse ; M1)

Schusterjunge ALLEMAND €€

11 Plan p. 114, D4

Ce bistrot de quartier rustique au charme très berlinois propose une cuisine familiale allemande. Ses copieuses assiettes de goulash, de rôti de porc et de *Sauerbraten* (rôti de bœuf mariné et braisé) réconfortent l'estomac et l'esprit, tout comme la Bürgerbräu et la Bernauer Schwarzbier brassées dans la région. (Danziger Strasse 9 ; plats 5-12 € ; 9h-24h ; U-Bahn Eberswalder Strasse ; M1)

Konnopke's Imbiss ALLEMAND €

12 Plan p. 114, C4

Au-dessous du métro aérien, ce temple de la saucisse a gardé le charme d'antan malgré ses atours modernes et sert des *Currywurst* depuis 1930. À manger chaud ! (www.konnopke-imbiss.de ; Schönhauser Allee 44b ; saucisse 1,30-1,70 € ; 10h-20h lun-ven, 12h-20h sam ; U-Bahn Eberswalder Strasse ; M1, 12)

Prendre un verre

Prater BIERGARTEN

13 Plan p. 114, C5

Le plus ancien *Biergarten* berlinois (ouvert en 1837) a gardé beaucoup de son charme traditionnel. C'est un endroit plaisant pour déguster une bière fraîche sous les marronniers. Les enfants peuvent se défouler sur une petite aire de jeu. (www.pratergarten.de ; Kastanienallee 7-9 ; à partir de 12h avr-sept ; U-Bahn Eberswalder Strasse ; M1, 12)

Anna Blume

CAFÉ

14 Plan p. 114, E6

Le café corsé, les pâtisseries maison et les bouquets du fleuriste attenant parfument l'intérieur Art nouveau de ce café de quartier portant le nom d'un poème de Kurt Schwitters. Par beau temps, la vaste terrasse est idéale pour regarder les passants. Le petit-déjeuner est excellent. (www.cafe-anna-blume.de ; Kollwitzstrasse 83 ; 8h-14h ; U-Bahn Eberswalder Strasse ; M1)

Becketts Kopf

BAR À COCKTAILS

15 Plan p. 114, D3

On prend l'art du cocktail très au sérieux derrière cette vitrine où s'affiche le portrait de Samuel Beckett. Dans un décor luxueux à l'éclairage tamisé, les barmen préparent des mélanges inventifs à base d'alcools de qualité et de jus de fruits frais. (www.becketts-kopf.de ; Pappelallee 64 ; à partir de 20h mar-dim ; U-Bahn Eberswalder Strasse)

Kaffee Pakolat

CAFÉ

16 Plan p. 114, D3

Retour au XIXe siècle dans ce café à l'ancienne doublé d'une boutique. Le café est torréfié sur place, le pain et les pâtisseries sont faits maison et la caisse date de 1913. Mobilier ancien, plaques émaillées et service attentionné et tranquille renforcent l'illusion. Petit-déjeuner et en-cas. (Raumerstrasse 40 ; 10h-19h lun-ven, 10h-18h sam-dim ; U-Bahn Eberswalder Strasse ; M1, 12)

Deck 5

BAR DE PLAGE

17 Plan p. 114, D1

Les pieds dans le sable, la tête dans les nuages ! Ce bar de plage est en effet perché sur le toit du centre commercial Schönhauser Allee Arcaden. Vue imprenable sur les lumières de la ville. Accès par l'ascenseur du centre commercial ou par un escalier interminable sur la Greifenhagener Strasse. (www.freiluftrebellen.de, en allemand ; Schönhauser Allee 80 ; 10h-24h avr-sept ; U-/S-Bahn Schönhauser Allee ; M1)

Marietta

CAFÉ, BAR

18 Plan p. 114, D2

Ce bar rétro en self-service permet d'observer les passants par une grande vitrine ou de prendre un verre en causant à mi-voix dans une arrière-salle à l'éclairage doux. La clientèle gay vient y commencer la soirée le mercredi. (www.marietta-bar.de ; Stargarder Strasse 13 ; à partir de 10h ; U-/S-Bahn Schönhauser Allee)

Bassy

CLUB

19 Plan p. 114, C8

Bien que pour la plupart nés après Woodstock, les clients de cette tanière, sombre et décatie mais non dénuée de charme, semblent apprécier la musique antérieure à 1969, la seule diffusée ici. Un spectacle de burlesque a lieu le mercredi et Chantal, diva drag queen, organise des fêtes gays "House of Shame" le jeudi. (www.bassy-club.de, en allemand ; Schönhauser Allee 176a ; lun-sam ; U-Bahn Senefelderplatz)

Sortir

Kulturbrauerei CENTRE CULTUREL

20 Plan p. 114, C5

Les bâtiments de briques rouges et jaunes de cette brasserie du XIXe siècle abritent désormais un pôle culturel ainsi que des salles de concert et de théâtre, des restaurants, des discothèques, des galeries et un multiplexe. (www.kulturbrauerei-berlin.de ; Schönhauser Allee 36-39 ; U-Bahn Eberswalder Strasse)

Shopping

Erfinderladen Berlin CADEAUX

21 Plan p. 114, D4

Blocs-notes pour la douche, dévidoir de papier hygiénique en disques vinyles, spray anti-monstre pour les enfants - on ne sait jamais ce qu'on va découvrir dans la "boutique de l'inventeur", pleine à craquer d'articles fantaisistes et bizarres mais aussi élégants et pratiques. Des prototypes sont visibles dans le petit musée situé à l'arrière. (www.erfinderladen-berlin.de, en allemand ; Lychener Strasse 8 ; U-Bahn Eberswalder Strasse)

Flohmarkt am Arkonaplatz MARCHÉ AUX PUCES

22 Plan p. 114, A6

Sur ce petit marché pour amateurs de mode rétro, de nombreux souvenirs de la RDA se glissent parmi des meubles, accessoires, vêtements, vinyles et livres de qualité. (Arkonaplatz ; 10h-17h dim ; U-Bahn Bernauer Strasse)

Goldhahn & Sampson ALIMENTATION

23 Plan p. 114, E4

Sel rose de l'Himalaya, huile d'argan du Maroc et pains allemands croustillants sont quelques-unes des spécialités alléchantes en vente dans cette épicerie chic.

Marché fermier de la Kollwitzplatz (p. 116)

Sasha et Andreas, les propriétaires, sélectionnent directement ces articles, pour la plupart rares, bio et issus de petits producteurs. Cherchez l'inspiration dans la petite bibliothèque de livres de cuisine ou réservez un des cours de cuisine dispensés sur place. (www.goldhahnundsampson.de ; Dunckerstrasse 9 ; 8h-20h lun-ven, 10h-20h sam ; U-Bahn Eberswalder Strasse)

Ta(u)sche

SACS

24 Plan p. 114, D4

Heike Braun et Antje Strubels, paysagistes de formation, sont les créatrices de ces ingénieuses besaces faites main, munies de rabats interchangeables grâce à un zip. (www.tausche-berlin.de ; Raumerstrasse 8 ; 11h-20h lun-ven, 11h-18h sam ; U-Bahn Eberswalder Strasse)

Awear

MODE

25 Plan p. 114, B6

Cette boutique de streetwear branchée propose des casquettes, sweets à capuche, baskets, tee-shirts, etc. griffés Nike, Sixpack France, Wood Wood, Just Female, CICO Copenhagen et autres marques appréciées des amateurs du genre. (www.awear-berlin.de ; Kastanienallee 75 ; 12h-20h lun-ven ; U-Bahn Eberswalder Strasse ; M1)

Luxus International

CADEAUX

26 Plan p. 114, C5

Les créateurs ne manquent pas à Berlin mais tous ne peuvent pas s'offrir une boutique. Luxus International a eu l'idée de leur louer un ou deux rayons pour exposer leurs produits, des plantes en boîte de conserve aux tee-shirts à message, en passant par les jeux de carte sur le thème de la *Currywurst* et les sacs à motif Trabant. (www.luxus-international.de ; Kastanienallee 101 ; 11h-20h lun-sam, 13h30-17h30 dim ; U-Bahn Eberswalder Strasse)

Bon plan

Boutiques

En dehors de la Schönhauser Allee Arcaden, près de la station de métro éponyme (plan p. 114, D1), Prenzlauer Berg est heureusement dépourvu de magasins de chaîne. Kastanienallee et Oderberger Strasse, Stargarder Strasse et les rues autour de la Helmholtzplatz sont parmi les plus riches en boutiques indépendantes. La plupart n'ouvrent qu'à midi, voire plus tard, et ferment vers 18h ou 19h.

VEB Orange

VINTAGE

27 Plan p. 114, B5

À travers une sélection des plus beaux objets des années 1960 et 1970, cette boutique nous rappelle combien la décoration d'alors était colorée, plastifiée et amusante. Les meubles, accessoires, lampes et vêtements variés reflètent souvent l'irrésistible goût kitsch de la RDA. (www.veborange.de ; Oderberger Strasse 29 ; 10h-20h lun-sam ; U-Bahn Eberswalder Strasse)

Explorer

Kurfürstendamm et Charlottenburg

Cœur scintillant de Berlin-Ouest durant la guerre froide, le Kurfürstendamm (Ku'damm) est aujourd'hui une avenue bordée de grands magasins, d'enseignes de créateurs et de chaînes haut de gamme. Quittez-le pour goûter au charme bourgeois du quartier de Charlottenburg parsemé de somptueux hôtels particuliers, de boutiques chics, de restaurants haut de gamme et de salles de spectacle.

L'essentiel en un jour

En prévision des kilomètres que vous allez parcourir à pied, prenez un copieux petit-déjeuner au **Jules Verne** (p. 129), un adorable café de quartier. Rejoignez tranquillement la Savignyplatz, descendez la Grolmanstrasse jusqu'à Kurfürstendamm et découvrez le passé tumultueux de Berlin au **Story of Berlin** (p. 127) avant de vous adonner au shopping le long du boulevard. Éventuellement, accordez-vous un moment de réflexion sur la vanité de la guerre au **Église du Souvenir de l'empereur Guillaume** (photo ci-contre ; p. 126). Rendez-vous ensuite au grand magasin **KaDeWe** (p. 131), où vous pourrez prendre un déjeuner tardif dans un superbe espace de restauration.

Visitez encore quelques boutiques ou rejoignez le **musée de la Photographie** (p. 126) pour admirer les nus d'Helmut Newton et les expositions du moment. L'heure de l'apéritif approche et les tables du **Dicke Wirtin** (p. 130) vous appellent.

Le **Cafe im Literaturhaus** (p. 129) est une bonne adresse pour dîner, mais les œnophiles impénitents préféreront l'**Enoteca Il Calice** (p. 127). Vous pouvez aussi aller assister à un spectacle et manger un morceau sous le chapiteau cerné de miroirs du **Bar Jeder Vernunft** (p. 130).

Le meilleur du quartier

Bar

Puro Sky Lounge (p. 130)

Concerts

A-Trane (p. 131)

Cabaret et spectacle

Bar Jeder Vernunft (p. 130)

Art

Musée Käthe-Kollwitz (p. 126)

Musées

Musée de la Photographie (p. 126)

Story of Berlin (p. 127)

Shopping

KaDeWe (p. 131)

Comment y aller

Bus Les bus M19, M29 et X10 parcourent le Kurfürstendamm.

S-Bahn Zoologischer Garten est la station la plus centrale.

U-Bahn Les stations Uhlandstrasse, Kurfürstendamm et Wittenbergplatz vous déposent en plein secteur des boutiques.

A
B
C
D
1
2
3
4
5
Nos adresses
Voir p. 126
Se restaurer p. 127
Prendre un verre p. 130
Sortir p. 130
Shopping p. 131
Goethestr
Steinplatz
Grolmanstr
Knesebeckstr
Carmerstr
Pestalozzistr
18
14
16
10
Savignyplatz
Kantstr
20
11
Savignyplatz
Kantstr
9
Leibnizstr
Wielandstr
Schlüterstr
Niebuhrstr
Bleibtreustr
CHARLOTTENBURG
Knesebeckstr
Grolmanstr
Uhlandstr
Mommsenstr
Uhlandstr
7
Walter-Benjamin-Platz
George-Grosz-Platz
Kurfürstendamm
Uhlandstr
8
15
2
22
Fasanenstr
4
Story of Berlin
Musée Käthe Kollwitz
Konstanzer Str
Olivaer Platz
Xantener Str
Lietzenburger Str
12
Pfalzburger Str
Bayerische Str
Württembergische Str
Pariser Str
Sächsische Str
Emser Str
Fasanenplatz
Ludwigkirchplatz
Ludwigkirchstr
Pariser Str

E
F
G
H
1
2
3
4
5
0
200 m
Fasanenstr
Musée de la Photographie
3
Jebensstr
Hardenbergstr
Zoologischer Garten
Hardenbergplatz
Zoologischer Garten
Zoologischer Garten
Jardin zoologique
Olof-Palme-Platz
Aquarium 6
Zoo 5
Budapester Str
Budapester Str
Kurfürstenstr
Breitscheidplatz
Église du Souvenir 1
Europa Center
13
Kurfürstendamm
Tauentzienstr
Ansbacher Str
21
Marburger Str
Los-Angeles-Platz
Nürnberger Str
Meinekestr
Joachimstaler Str
19
Wittenbergplatz
Rankeplatz
Eislebener Str
Augsburger Str
Augsburger Str
Rankestr
Lietzenburger Str
An der Urania
Lietzenburger Str
Nürnberger Platz
Schaperstr
Fuggerstr
Bamberger Str
Ansbacher Str
Welserstr
17
Geisbergstr

Voir

Église du Souvenir de l'empereur Guillaume MÉMORIAL

1 Plan p. 124, G2

Paisible et digne au milieu de la circulation, ce clocher en ruine sert de mémorial contre la guerre. Les photos exposées au rez-de-chaussée témoignent de la splendeur passée de l'église construite en 1895. La salle de prière octogonale ajoutée en 1961 comporte de superbes murs de verre bleu nuit et un Jésus immense suspendu dans les airs. (Kaiser-Wilhelm-Gedächtniskirche ; www.gedaechtniskirche-berlin.de ; Breitscheidplatz ; 9h-19h ; U-Bahn Kurfürstendamm)

Musée Käthe-Kollwitz MUSÉE

2 Plan p. 124, D4

Ce délicieux musée est dédié à Käthe Kollwitz, une des plus grandes artistes allemandes, dont l'œuvre puissante et torturée traduit une conscience sociale et politique élevée. La mort et la maternité devinrent des thèmes récurrents dans son œuvre après la mort de son fils à la guerre en 1914. (Käthe-Kollwitz-Museum ; www.kaethe-kollwitz.de ; Fasanenstrasse 24 ; adulte/réduit 6/3 € ; 11h-18h ; U-Bahn Uhlandstrasse)

Musée de la Photographie MUSÉE

3 Plan p. 124, F1

Le legs du photographe berlinois Helmut Newton, enfant terrible de la photographie de mode, constitue le cœur de ce musée aménagé dans un ancien cercle de jeux pour officiers prussiens, derrière le jardin zoologique. Au dernier étage, la **Kaisersaal** (salle de l'empereur) et son plafond cintré offrent leur cadre prestigieux à des expositions temporaires. (Museum für Fotografie ; www.smb.museum ; Jebensstrasse 2 ; adulte/réduit avec accès le même jour à la collection Scharf-Gerstenberg 8/4 € ; 10h-18h mar-mer et ven-dim, 10h-22h jeu ; U-/S-Bahn Zoologischer Garten)

Comprendre

Käthe Kollwitz

Käthe Kollwitz (1867-1945) fut la plus grande artiste féminine allemande du XXe siècle mais elle aurait probablement refusé cette étiquette. Modeste et désintéressée, elle est surtout connue pour ses gravures sur bois, sculptures et lithographies émouvantes, qui saisissent en profondeur les épreuves de la condition humaine. Son travail fut influencé par le désespoir et la pauvreté dont elle fut le témoin dans les ghettos ouvriers de Berlin et par les pertes successives de son fils et de son petit-fils lors des deux guerres mondiales. Membre de la Sécession berlinoise, elle fut la première femme à enseigner à la prestigieuse Académie prussienne des arts, jusqu'à ce que les nazis l'obligent à démissionner en 1933. Elle mourut de mort naturelle en 1945.

Story of Berlin

MUSÉE D'HISTOIRE

4 Plan p. 124, C4

Ce musée multimédia dévoile huit siècles d'histoire berlinoise par petites tranches, de la fondation de Berlin en 1237 à la chute du Mur. Situé sous le musée et datant de la guerre froide, l'abri anti-atomique en état de fonctionnement est un moment fort de la visite. Accès par le centre commercial. (www.story-of-berlin.de ; Kurfürstendamm 207-208 ; adulte/réduit 10/8 € ; 10h-20h, fermeture guichet et dernière visite du bunker 18h ; U-Bahn Uhlandstrasse)

Zoo de Berlin

ZOO

5 Plan p. 124, G2

Le plus ancien parc animalier allemand a ouvert en 1844 avec des créatures à poils et à plumes issues des réserves personnelles de la famille royale. Il regroupe aujourd'hui quelque 16 000 animaux de tous les continents, soit 1 500 espèces au total. Orangs-outans joufflus, koalas craquants, rhinos menacés de disparition, pingouins joueurs et un rare panda géant baptisé Bao Bao comptent parmi les principales vedettes. (www.zoo-berlin.de ; Hardenbergplatz 8 ; adulte/enfant 13/6,50 € ; 9h-19h mi-mars à mi-sept, 9h-17h mi-sept à mi-mars ; U-/S-Bahn Zoologischer Garten)

Aquarium

AQUARIUM

6 Plan p. 124, H2

Poissons exotiques, amphibiens et reptiles occupent sur trois niveaux cet adorable aquarium à l'ancienne avec couloirs sombres et bassins éclairés.

MARTIN MOOS/LONELY PLANET IMAGES ©

Le zoo de Berlin

Certains spécimens de la célèbre halle aux crocodiles peuvent provoquer des cauchemars mais les gracieuses méduses, les grenouilles colorées (quoique venimeuses) et le vrai Nemo devraient plaire aux enfants. (Zoo Aquarium Berlin ; www.aquarium-berlin.de ; Budapester Strasse 32 ; adulte/enfant 13/6,50 € ; 9h-18h ; U-/S-Bahn Zoologischer Garten)

Se restaurer

Enoteca Il Calice

ITALIEN €€€

7 Plan p. 124, A3

Des vins superbes de toutes les régions italiennes coulent avec générosité, comme la conversation, dans ce restaurant élégant. Résistez

Comprendre
Berlin dans les Années folles

Au début des années 1920, l'Allemagne, encore choquée par la défaite de 1918, est la proie de l'instabilité sociale et politique. L'hyperinflation, la faim et la maladie règnent. Beaucoup de Berlinois réagissent alors en faisant comme s'il n'y avait pas de lendemain, et changent la capitale à la fois en un repaire de débauche et en un creuset de créativité. Revues de cabaret, dadaïsme et jazz s'épanouissent. Les lieux de plaisir se multiplient, transformant Berlin en véritable métropole du sexe. Bouillonnante d'énergie, la capitale devient le laboratoire de toutes les nouveautés, de tous les modernismes et attire des architectes (Hans Scharoun, Walter Gropius), des peintres (George Grosz, Max Beckmann) et des écrivains (Bertolt Brecht, Christopher Isherwood).

Cafés et cabarets

Les cabarets proposent des spectacles émoustillants où travestis, chanteurs, magiciens, danseurs et autres artistes font oublier au public la dure réalité. Le Kurfürstendamm devient l'un des épicentres de la vie nocturne et se dote de cinémas, théâtres et restaurants somptueux. À l'emplacement de l'actuel Europa Center, le Romanisches Café devient une deuxième maison pour les artistes (acteurs, écrivains, photographes, producteurs de films...), fameux ou pas. L'écrivain allemand Erich Kästner le surnomme la "salle d'attente des talents".

Le cinéma

Les années 1920 et le début des années 1930 correspondent aussi à l'essor du cinéma berlinois. Marlene Dietrich séduit le monde entier et les puissants studios UFA favorisent la création et la diffusion de films prestigieux. Fritz Lang, l'un des principaux réalisateurs, accède à la notoriété internationale avec ses œuvres-clefs *Metropolis* (1926) et *M le maudit* (1931).

La crise

La fête s'arrête net avec le crash boursier des États-Unis de 1929, qui plonge le monde dans la dépression économique. En quelques semaines, 500 000 Berlinois se retrouvent au chômage. Manifestations et affrontements se multiplient ; les communistes et le NSDAP d'Adolf Hitler se combattent dans un climat politique délétère. Bientôt, ce sera le bruit des bottes. Les chemises brunes, les persécutions et la terreur ne vont pas tarder à devenir le quotidien des Berlinois.

à la tentation de vous gaver d'antipasti pour découvrir l'immense talent du chef. Ses recettes de saison comme l'esturgeon poché à l'huile de café ou les pâtes à la poutargue (œufs de mulets séchés) sont divines. (☎324 2308 ; www.ilcalice.de ; Walter-Benjamin-Platz 4 ; plats 13-34 € ; ⌚déj lun-sam, dîner tlj ; U-Bahn Adenauerplatz)

Café-Restaurant Wintergarten im Literaturhaus INTERNATIONAL €€

8 Plan p. 124, D3

Cette belle villa Art nouveau dotée d'une librairie n'est qu'à deux pas de la très animée avenue de Ku'damm. On y déguste une cuisine bistrot de saison dans un élégant décor d'autrefois, sous les stucs des différentes salles ou, si le temps le permet, dans le jardin idyllique. Petit-déjeuner jusqu'à 14h. (www.literaturhaus-berlin.de, en allemand ; Fasanenstrasse 23 ; plats 8-16 € ; ⌚9h30-13h ; U-Bahn Uhlandstrasse ;)

Brel BELGE €€

9 Plan p. 124, C2

Ce bistrot de quartier baptisé du nom du célèbre chanteur belge occupe une ancienne maison close. Il attire les bobos aux yeux bouffis à l'heure du café et des croissants, les hommes d'affaires et les touristes alléchés par le déjeuner à 9 € et, le soir, les couples francophiles en quête de cuisses de grenouilles, steaks et escargots. Petit-déjeuner jusqu'à 18h. (www.cafebrel.de, en allemand ; Savignyplatz 1 ; plats 11-21 € ; ⌚9h-1h ; S-Bahn Savignyplatz)

Good Friends CHINOIS €€

10 Plan p. 124, B2

Lassés de la cuisine chinoise Kung Pao ? Vous apprécierez les spécialités cantonaises servies dans ce restaurant, à la réputation bien établie. Les canards suspendus dans la vitrine ne sont qu'un aperçu de la carte, interminable. Si les œufs de cent ans et la panse de porc vous rebutent, vous pourrez toujours vous rabattre sur du poulet... Kung Pao. (www.goodfriends-berlin.de ; Kantstrasse 30 ; ⌚12h-1h ; plats 10-20 € ; S-Bahn Savignyplatz)

Jules Verne INTERNATIONAL €€

11 Plan p. 124, B2

Ce café dédié à l'auteur du *Tour du monde en 80 jours* propose une carte... internationale. Huîtres françaises, *Schnitzel* (escalope) autrichienne et couscous marocain sont des valeurs sûres. (☎3180 9410 ; www.jules-verne-berlin.de, en allemand ; Schlüterstrasse 61 ; dîner plats 11-25 € ; ⌚9h-1h ; S-Bahn Savignyplatz ;)

100% berlinois

La "petite Asie" de Berlin

Ce n'est pas vraiment Chinatown, mais si vous souhaitez manger asiatique, rejoignez la **Kantstrasse** (plan p. 124, A2-C2), entre la Savignyplatz et la Wilmersdorfer Strasse, qui regroupe la plus grande concentration de restaurants, boutiques et bouillons chinois, vietnamiens, thaïlandais et japonais de Berlin. À midi, plats du jour à prix intéressants.

Mr Hai Kabuki

JAPONAIS €€€

12 Plan p. 124, B4

Oui, chez Mr Hai on sert des sashimis et des makis classiques, mais la plupart des habitués viennent pour les sushis, composés comme des œuvres d'art. Certains contiennent du kimchi, de la citrouille et de la crème, d'autres sont flambés et frits. (8862 8136 ; www.mrhai.de ; Olivaer Platz 10 ; assiette 12-22 € ; 12h-24h ; U-Bahn Adenauerplatz)

Prendre un verre

Puro Sky Lounge

BAR, CLUB

13 Plan p. 124, G3

Le Puro a, au sens propre, élevé le niveau des bars de Charlottenburg en emménageant au 20e étage de l'Europa Center. Troquez le style délabré berlinois contre un décor chic et une vue superbe, avec des créatures en talons aiguilles. (www.puro-berlin.de, en allemand ; Tauentzienstrasse 11 ; mar-sam ; U-Bahn Kurfürstendamm)

Zwiebelfisch

BAR

14 Plan p. 124, C2

Avec sa clientèle d'artistes, d'acteurs et d'écrivains, tantôt grisonnants, tantôt débutants, ce pub douillet accueille la crème des bobos de Charlottenburg depuis les années 1960. Malgré le temps qui passe, le Zwiebelfisch est toujours une excellente adresse pour prendre un dernier verre à l'heure où les adeptes de l'iPad se préparent à une nouvelle journée de bureau. (www.zwiebelfisch-berlin.de, en allemand ; Savignyplatz 5 ; 12h-6h ; S-Bahn Savignyplatz)

Berliner Kaffeerösterei

CAFÉ

15 Plan p. 124, D3

Cet établissement à l'ancienne sert le meilleur café de Berlin. Ses experts parcourent le monde en quête de grains d'exception qu'ils torréfient sur place. Les pâtisseries sont excellentes. (www.berliner-kaffeeroesterei.de ; Uhlandstrasse 173-174 ; 8h-20h lun-mer, 8h-22h jeu-ven, 9h-22h sam, 10h-22h dim ; U-Bahn Uhlandstrasse)

Dicke Wirtin

CAFÉ

16 Plan p. 124, C2

Chaque recoin de ce vieux café dégage le charme du Berlin d'antan. On y trouve 8 bières à la pression (notamment la superbe Kloster Andechs) et une trentaine de schnaps maison. Ils accompagnent une roborative cuisine locale. (www.dicke-wirtin.de ; Carmerstrasse 9 ; à partir de 12h ; S-Bahn Savignyplatz)

Sortir

Bar jeder Vernunft

CABARET

17 Plan p. 124, E5

La vie est un cabaret sous ce chapiteau Art nouveau (1912) garni de miroirs, où l'on donne des spectacles musicaux, des comédies et des revues. Entrée par le parking. (883 1582 ; www.bar-jeder-vernunft.de ; Schaperstrasse 24 ; U-Bahn Spichernstrasse)

A-Trane

JAZZ

18 Plan p. 124, C1

Si Herbie Hancock et Diana Krall en ont honoré la scène, ce club de jazz accueille surtout de jeunes talents. Entrée gratuite le lundi – jour où se produit le Berlinois Andreas Schmidt – et après 0h30 le samedi pour la jam session tardive. (www.a-trane.de, en allemand ; Bleibtreustrasse 1 ; tlj ; S-Bahn Savignyplatz)

Shopping

KaDeWe

GRAND MAGASIN

19 Plan p. 124, H4

Ce grand magasin plus que centenaire est si vaste qu'il faut envisager une razzia en règle. Si vous manquez de temps, allez au moins voir l'espace restauration du 6e étage. (www.kadewe-berlin.de ; Tauentzienstrasse 21-24 ; U-Bahn Wittenbergplatz)

Stilwerk

DÉCORATION

20 Plan p. 124, D2

Les quatre étages de ce temple du bon goût réveilleront fatalement le décorateur qui sommeille en vous. Tout y est, du torchon au matelas, et toutes les marques y sont, Bang & Olufsen, Möve, BoConcept, Ligne Roset, etc. (www.stilwerk.de, en allemand ; Kantstrasse 17 ; S-Bahn Savignyplatz)

Steiff in Berlin

JOUETS

21 Plan p. 124, E3

Les adorables créations de cette grande marque d'animaux en peluche fondée en 1880 par Margarete Steiff (c'est elle qui inventa le nounours teddy bear en 1902, qu'elle nomma en hommage à Theodore Roosevelt) sont conçus pour les câlins. Les clients de tous âges fondent littéralement devant la ménagerie (notamment des animaux de collection en tirage limité) en vente dans ce magasin, le principal de la marque. (www.steiff.de ; Kurfürstendamm 220 ; U-Bahn Uhlandstrasse)

100% berlinois

Shopping jusqu'à plus soif

Le Kurfürstendamm et la Tauentzienstrasse, qui le prolonge à l'est, sont incontournables en matière de shopping à Charlottenburg. La Kantstrasse concentre les magasins de décoration intérieure. Des rues secondaires comme la Bleibtreustrasse et la Fasanenstrasse abritent des boutiques haut de gamme et de créateurs, des librairies et des galeries.

Hautnah

ÉROTISME

22 Plan p. 124, D4

Les partisans d'un hédonisme assumé doivent absolument visiter ce grand magasin de l'érotisme. Les fétichistes feront le plein de corsets en latex, bodys en caoutchouc, sex toys, déguisements et talons vertigineux. Le sous-sol abrite une cave à vin. (www.hautnahberlin.de, en allemand ; Uhlandstrasse 170 ; 12h-20h lun-ven , 11h-16h sam ; S-Bahn Uhlandstrasse)

100% berlinois
Les multiples visages de Schöneberg

Comment y aller

Schöneberg est niché entre le Kurfürstendamm et Kreuzberg.

U-Bahn Les stations Viktoria-Luise-Platz (U4) et Kleistpark (U7) sont situées aux extrémités de cet itinéraire.

Derrière son ambiance décontractée, ce quartier prisé des classes moyennes cache un passé radical né avec les squats des années 1980. Découvrez ses diverses facettes au gré d'une promenade qui débute sur la bourgeoise Viktoria-Luise-Platz, se poursuit à travers le quartier gay puis le long de rues où les cafés bobos et les boutiques chics jouent des coudes, jusqu'aux enseignes exotiques de la Hauptstrasse.

❶ Viktoria-Luise-Platz

Savourez l'ambiance décontractée de la plus belle place de Schöneberg, à la déclinaison classique : grands arbres, fontaine et bancs sur lesquels les habitants échangent des potins, lisent ou surveillent leurs enfants. La place est entourée de plusieurs cafés et de belles façades historiques (n°7, 12 et 12a).

❷ Village gay

Les drapeaux aux couleurs de l'arc-en-ciel accrochés au-dessus des bars et des boutiques de la Motzstrasse signalent que vous êtes dans le cœur historique du Berlin gay. À l'entrée de la station de métro Nollendorfplatz, une plaque commémorative rend hommage aux homosexuels persécutés par les nazis.

❸ Café Berio

Inchangé depuis des décennies, le **Café Berio** (www.cafeberio.de ; Maassenstrasse 7 ; à partir de 7h lun-ven, 8h sam-dim) fait de la résistance parmi les "lounge-restaurants" formatés qui ont envahi la Maassenstrasse. Ici, on peut toujours déguster un bon cappuccino et des douceurs, encore meilleurs en terrasse. Apprécié par la clientèle gay.

❹ Marché fermier

Le mercredi et le samedi matin, les étals de produits fermiers frais envahissent la Winterfeldtplatz. Outre des fruits et légumes de saison, on y trouve des fromages artisanaux, de la charcuterie, des olives, du miel local, quantité d'autres mets et surprises et, le samedi, des stands d'artisanat.

❺ Pour les accros au chocolat

Winterfeldt Schokoladen (www.winterfeldt-schokoladen.de ; Goltzstrasse 23 ; 9h-20h lun-ven, 9h-18h sam) propose un vaste choix de chocolats artisanaux provenant du monde entier, exposés comme des œuvres d'art dans les rayonnages d'une pharmacie du XIXe siècle. Si vous n'achetez rien, offrez-vous une tasse de divin chocolat chaud.

❻ Shopping dans la Goltzstrasse

Dans la Goltzstrasse chaque pas-de-porte est occupé par une boutique différente : vêtements vintage, dessous sexy, livres anciens, bijoux artisanaux, thés exotiques ou fournitures pour la cuisine. Pas un magasin de chaîne à l'horizon ! Des cafés douillets et des restaurants décontractés s'intercalent çà et là.

❼ Double Eye

Les amateurs de café berlinois ne peuvent se passer de l'expresso du **Double Eye** (Akazienstrasse 22 ; 8h47-18h29 lun-ven, 9h01-17h57 sam). C'est pourquoi ils patientent sans broncher dans la file qui s'étire à l'extérieur. Les prix sont doux, le sourire et la qualité en prime.

❽ Exotique Hauptstrasse

Les boutiques cèdent peu à peu la place aux épiceries et aux restos de kebabs. Ce secteur multiculturel de Schöneberg a pour artère principale l'effervescente Hauptstrasse, adresse d'**Öz-Gida** (au n°16), supermarché turc réputé dans tout Berlin pour ses olives, ses fromages et sa viande de qualité. David Bowie vécut autrefois au n°155.

Les incontournables
Château de Charlottenburg

Comment y aller

Le château de Charlottenburg est à 3 km au nord-ouest du Jardin zoologique.

U-Bahn Depuis la station Sophie-Charlotte-Platz (U2), marchez 1 km dans la belle Schlossstrasse ou prenez le bus n°309.

Le château de Charlottenburg (Schloss Charlottenburg) est la plus vaste et la plus belle des neuf anciennes résidences royales encore visibles à Berlin. Plus qu'aucune autre, il reflète la grandeur passée des Hohenzollern, qui régnèrent sur la Prusse de 1415 à 1918. La modeste villégiature estivale d'origine fut transformée en délicieux amoncellement baroque. C'est un endroit charmant pour passer une journée, surtout l'été, quand le magnifique parc permet d'ajouter les plaisirs de la promenade ou du pique-nique à la découverte des trésors royaux.

À ne pas manquer

Ancien château (Altes Schloss)

Les appartements royaux de l'**Ancien Château** (adulte/tarif réduit 12/8 € ; 10h-18h mar-dim avr-oct, jusqu'à 17h nov-mars) baroque sont une débauche de stuc, de brocart et d'ors. Admirez les portraits de famille dans la galerie de Chêne, le charmant salon ovale donnant sur les jardins, les vaisselles chinoises et japonaises dans la chambre de Porcelaine et la chapelle Eosander avec ses arcs en trompe-l'œil.

Nouvelle Aile (Neuer Flügel)

Ajoutée sous Frédéric II en 1746, la **Nouvelle Aile** (adulte/tarif réduit 6/5 € ; 10h-18h mer-lun avr-oct, jusqu'à 17h nov-mars) renferme les plus belles pièces du château, notamment le salon blanc, une salle de banquet de style meringue, et la Galerie dorée, délire rococo tout en miroirs et dorures. La salle de concert contient une précieuse collection de tableaux de maîtres français.

Parc du château (Schlossgarten)

Le vaste parc baroque qui sépare le château de la Spree est un jardin idyllique en partie à la française, en partie à l'anglaise. Vos déambulations le long des sentiers ombragés, des pelouses et des bassins à carpes vous mèneront jusqu'au sombre mausolée et au charmant belvédère.

Belvédère

Ce minuscule **palais** (adulte/tarif réduit 3/2,50 € ; 10h-18h mar-dim avr-oct, 12h-16h sam-dim nov-mars) de style rococo tardif est un salon de thé construit en 1788 par Carl Gotthard Langhans pour Frédéric-Guillaume II. Son cadre élégant abrite aujourd'hui des chefs-d'œuvre de la manufacture royale de porcelaine KPM, dont de somptueux services de table et de délicates tasses à thé d'époque napoléonienne.

320 911

www.spsg.de

Spandauer Damm

Tarif selon bâtiments ; forfait journée adulte/tarif réduit 14/10 €

Selon bâtiments

À savoir

- Les week-ends et en été, arrivez de bonne heure pour éviter les longues files d'attente.
- Venez du mercredi au dimanche, quand tous les bâtiments sont ouverts.
- Le forfait à la journée donne accès à tous les bâtiments sauf à la Nouvelle Aile.
- On peut facilement visiter le même jour les trois musées voisins.

Une petite faim ?

Près de l'entrée du parc, la **Kleine Orangerie** (www.kleineorangerie.de ; plats 6-15 €) propose petits-déjeuners, en-cas, repas et pâtisseries.

Par beau temps, pensez au pique-nique.

Comprendre

L'histoire du château

Le somptueux château de Charlottenburg que l'on peut admirer aujourd'hui fut d'abord une modeste retraite d'été pour Sophie-Charlotte, épouse de Frédéric Ier (1657-1713), alors électeur de Brandebourg. Les plans initiaux de Johann Arnold Nering furent modifiés sur le modèle de Versailles par Johann Friedrich Eosander lorsque l'électeur devint roi en 1701. Les monarques suivants apportèrent leur pierre à l'édifice, notamment Frédéric II le Grand, qui ajouta la spectaculaire Nouvelle Aile (Neuer Flügel). Le Nouveau Pavillon (Neuer Pavillon), le mausolée et le belvédère datent du XIXe siècle.

Nouveau Pavillon (Neuer Pavillon)

Ce **mini-palais** (adulte/tarif réduit 4/3 € ; ⌚10h-18h mar-dim avr-oct, 12h-16h nov-mars) dessiné par Karl Friedrich Schinkel fut d'abord une villégiature estivale pour le roi Frédéric-Guillaume III. Conçu sur le modèle d'une villa italienne où le monarque avait séjourné, sa décoration est caractéristique des styles romantique et Biedermeier.

Mausolée

Ce **mausolée** (gratuit ; ⌚10h-18h mar-dim avr-oct) néoclassique fut construit en 1815 pour la regrettée reine Louise. Les sarcophages de marbre raffinés abritent également les restes d'autres souverains, dont son époux Frédéric-Guillaume III, l'empereur Guillaume Ier et son épouse Augusta.

Environs : collection Scharf-Gerstenberg

Face à l'entrée principale du château, cette superbe **collection** (Sammlung Scharf-Gerstenberg ; www.smb.museum ; Schlossstrasse 70 ; adulte/tarif réduit 6/3 € ; ⌚10h-18h mar-dim) comprend des toiles surréalistes de René Magritte et de Max Ernst ainsi que des paysages oniriques de Salvador Dalí et Jean Dubuffet. Parmi les œuvres plus anciennes, on distingue les eaux-fortes cauchemardesques de Goya et les terrifiantes prisons de Piranèse.

Environs : musée Bröhan

Un beau **musée** (Bröhan Museum ; www.broehan-museum.de ; Schlossstrasse 1a ; adulte/réduit 6/4 € ; ⌚10h-18h mar-dim) consacré aux arts décoratifs : Art nouveau, Art déco et fonctionnalisme. Parmi ses œuvres phares, des meubles d'Hector Guimard et de Peter Behrens, la collection de toiles de la Sécession berlinoise et l'étage consacré à Henry Van de Velde.

Environs : musée Berggruen

Les amateurs de Picasso, Klee, Matisse et Giacometti seront à leur affaire dans ce **musée** (Museum Berggruen ; www.smb.museum ; Schlossstrasse 1). Lors de la rédaction de ce guide, il était fermé pour travaux d'agrandissement mais devait rouvrir bientôt.

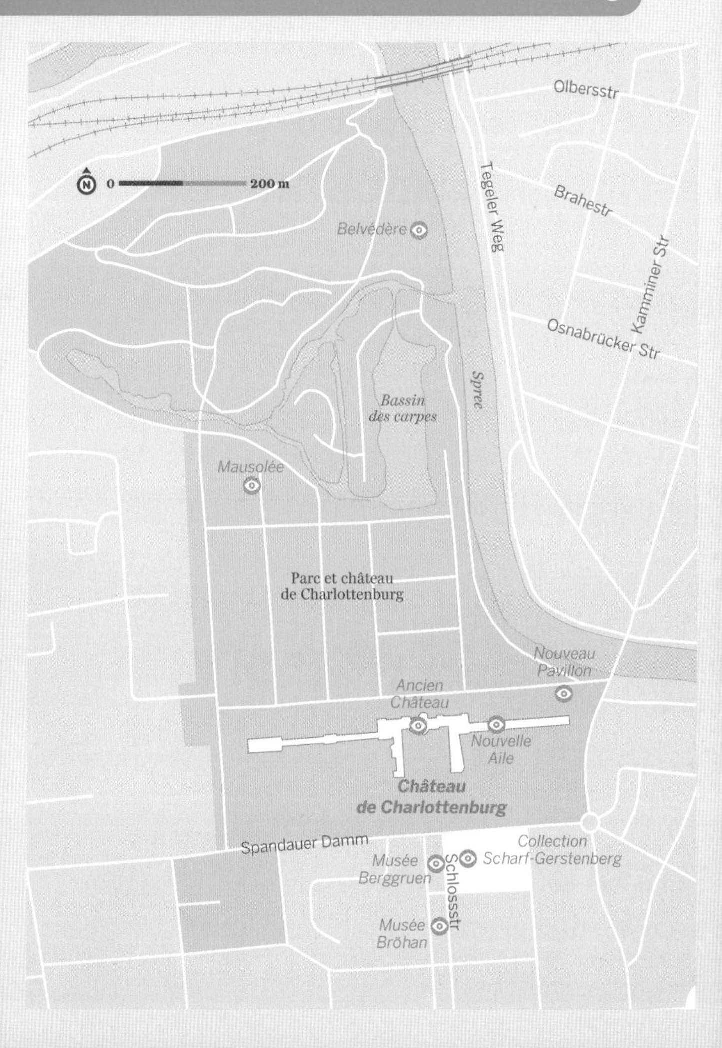
0
200 m
Olbersstr
Tegeler Weg
Brahestr
Kamminer Str
Belvédère
Osnabrücker Str
Spree
Bassin
des carpes
Mausolée
Parc et château
de Charlottenburg
Nouveau
Pavillon
Ancien
Château
Nouvelle
Aile
Château
de Charlottenburg
Spandauer Damm
Collection
Scharf-Gerstenberg
Musée
Berggruen
Schlossstr
Musée
Bröhan

Les incontournables
Château et parc de Sans-Souci

Comment y aller

Sans-Souci est à 24 km au sud-ouest du centre de Berlin. Achetez un billet de transport couvrant les zones A, B et C (3 €).

S-Bahn Sans-Souci est à 40 minutes environ du centre de Berlin par la ligne S7.

Ce palais entouré d'un parc montre ce que peut faire un monarque qui a de l'argent, du goût et les meilleurs architectes et artistes de son temps à sa disposition. Situé à Potsdam, tout près de Berlin, le domaine de Sans-Souci rêvé par Frédéric II le Grand (1712-1786) renferme le palais éponyme, sa résidence d'été. Plusieurs bâtiments furent ajoutés par son arrière-petit-neveu Frédéric-Guillaume IV (1795-1861). L'ensemble a été inscrit au patrimoine mondial de l'Unesco en 1990.

À ne pas manquer

Château de Sans-Souci (Schloss Sanssouci)

Ce merveilleux **palais** (adulte/tarif réduit 12/8 € avr-oct, 8/5 € nov-mars ; 10h-18h mar-dim avr-oct, jusqu'à 17h nov-mars) rococo trône au sommet de terrasses couvertes de plantes grimpantes, non loin du tombeau de Frédéric II le Grand. Les visites avec audioguide mettent l'accent sur la salle de concert au décor fantasque – où le roi lui-même donnait des récitals de flûte – et sur le salon de marbre surmonté d'une coupole, inspiré du Panthéon de Rome.

Bibliothèque (Bibliothek)

Aucune pièce ne reflète mieux le penchant de Frédéric II pour la réflexion solitaire que cette **bibliothèque** au plafond doré. C'est ici que le "roi philosophe" trouvait le réconfort, parmi plus de 2 000 ouvrages reliés de cuir allant de la poésie grecque ancienne aux derniers ouvrages de son ami Voltaire.

Pavillon chinois (Chinesisches Haus)

L'engouement de l'Europe pour l'Extrême-Orient au XVIIIe siècle se reflète dans cet adorable **pavillon de thé** (2 € ; 10h-18h mar-dim mai-oct) en forme de trèfle. De très photogéniques personnages dorés en costume exotique, buvant du thé, dansant et jouant des instruments de musique, en ornent l'extérieur. Il renferme une précieuse collection de porcelaines.

Galerie des peintures (Bildergalerie)

Voisin du palais, cet ensemble de marbre jaune et blanc et de stucs raffinés est le plus ancien **musée** (adulte/tarif réduit 3/2,50 € ; 10h-17h mar-dim mai-oct) royal allemand. Il abrite la collection de maîtres anciens de Frédéric II le Grand, notamment l'*Incrédulité de saint Thomas*, du Caravage, la *Pentecôte* de Van Dyck et plusieurs Rubens.

www.spsg.de

Tarif selon bâtiments ; forfait journée adulte/ tarif réduit 19/14 €

Selon bâtiments ; parc de l'aube au crépuscule

À savoir

- Renseignements au **centre d'accueil des visiteurs** (An der Orangerie 1 ; 8h30-17h avr-oct, 9h-16h nov-mar).
- Pour être sûr d'entrer, inscrivez-vous au **Potsdam Sanssouci Tour** (www.potsdam-tourismus.de) ou arrivez de bonne heure. Évitez les week-ends et jours fériés.
- L'essentiel du site est fermé le lundi.

Une petite faim ?

Le **Drachenhaus** (plats 14-18 €) propose du café, des pâtisseries et des plats régionaux.

L'immense **Potsdam Historische Mühle** (plats 10-18 € ; 8h-23h) séduit par ses plats internationaux, son *Biergarten* et son aire de jeu pour les enfants.

Nouveau Palais (Neues Palais)

Ce **palais** (adulte/tarif réduit 6/5 € ; ⏲10h-18h mer-lun avr-oct, jusqu'à 17h nov-mars), aux dimensions impressionnantes, est surmonté d'un dôme central et affiche un extérieur somptueux ponctué d'une série de statues de grès. Ce fut le dernier palais construit par Frédéric II le Grand, pour un usage d'apparat. Seul Guillaume II, le dernier Kaiser, y résida véritablement (jusqu'en 1918).

Salle des grottes (Grottensaal)

La pièce la plus sidérante comprise dans la visite du Nouveau Palais est la **salle des grottes**, délice rococo de marbre et de verre. Décorée d'une mosaïque de coquillages, fossiles, minéraux, escargots et pierres semi-précieuses, elle donnait accès aux appartements royaux.

Orangerie

L'**orangerie** (adulte/tarif réduit 4/3 € ; ⏲10h-18h mar-dim mai-oct, sam-dim avr) de style Renaissance, longue de 300 m, reflète l'amour que portait Frédéric-Guillaume IV à tout ce qui venait d'Italie. La visite comprend la **Raphaelsaal**, remplie de copies du XIXe siècle de chefs-d'œuvre du grand peintre italien, tandis que la **tour** (2 €) offre un panorama du parc.

Belvédère (Belvedere auf dem Klausberg)

Depuis l'orangerie, une allée bordée d'arbres forme un axe conduisant à ce petit **pavillon** (2 € ; ⏲10h-18h sam-dim mai-oct) aux allures de temple, inspiré du palais de Néron à Rome. Circulaire et orné de colonnades,

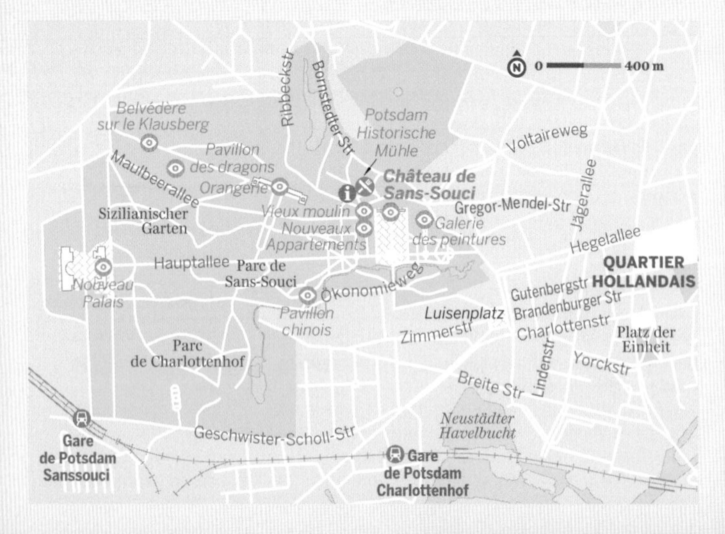

il offre une vue sur le parc, ses alentours et la ville de Potsdam. Son intérieur somptueux a été récemment restauré après les dégâts subis lors de la Seconde Guerre mondiale.

Pavillon des dragons (Drachenhaus)

En rejoignant le Belvédère, on passe devant un **palais chinois** (2 € ; ⌚10h-18h mar-dim mai-oct) miniature, construit en 1770. Inspiré de la pagode Ta-Ho de Canton, il est protégé par une armée de dragons et renferme aujourd'hui un agréable café-restaurant.

Nouveaux Appartements (Neue Kammer)

Ces **appartements** (adulte/tarif réduit 4/3 € ; ⌚10h-18h mar-dim mai-oct, horaires restreints l'hiver) sont une ancienne orangerie convertie en palais destiné à recevoir les hôtes de marque. L'intérieur est une débauche de fastes, surtout l'**Ovidsaal**, somptueuse salle de bal ornée de reliefs dorés représentant des scènes des *Métamorphoses* d'Ovide, et le **salon de jaspe**, décoré de pierres semi-précieuses et surmonté d'une fresque où trône Vénus.

Parc de Charlottenhof (Park Charlottenhof)

Dessiné par Peter Lenné pour Frédéric-Guillaume IV, ce **parc** construit dans le prolongement du parc de Sans-Souci est moins visité. Les édifices qui jalonnent les lieux tranquilles sont dus à Karl Friedrich Schinkel, notamment le **château de Charlottenhof** (Schloss Charlottenhof ; actuellement fermé) néoclassique et le pittoresque ensemble de villas Renaissance désigné sous le nom de **thermes romains** (adulte/tarif réduit 3/2,50 € ; ⌚10h-18h mar-dim mai-oct).

Moulin (Historische Mühle)

Cette réplique en état de marche du **moulin à vent** (adulte/enfant 3/2 € ; ⌚10h-18h tlj avr-oct, 10h-16h sam-dim nov et jan-mars) hollandais attaché au palais au XVIIIe siècle comprend une boutique au rez-de-chaussée, trois étages d'exposition sur la technique des moulins et une terrasse d'observation au sommet.

Environs : Quartier hollandais (Holländisches Viertel)

Pour découvrir Potsdam en dehors du palais, poussez environ 1 km à l'est via la Brandenburger Strasse, avenue piétonne et commerçante, jusqu'au **Quartier hollandais**. Cet ensemble de maisons à pignons en brique rouge fut construit vers 1730 pour les ouvriers hollandais qu'avait fait venir Frédéric-Guillaume Ier. Il regroupe aujourd'hui des cafés, des restaurants, des boutiques et des galeries. La Mittelstrasse est particulièrement pittoresque.

Berlin selon ses envies

Les plus belles balades

Envie de...

La Spree près du musée Bode

Les plus belles balades
Centre historique

Itinéraire

Cet itinéraire à travers le centre historique, appelé Mitte ("le Milieu") passe par les principaux sites historiques de Berlin. C'est le berceau et le secteur le plus prestigieux de la capitale, mélange de culture, d'architecture et de commerce. Marchez dans les pas des rois et des armées, admirez l'architecture majestueuse, traversez d'humbles rues pavées, passez du Moyen Âge au XXIe siècle et inclinez-vous devant des œuvres d'art magistrales. Appareil photo recommandé.

Départ Reichstag ; U-Bahn Bundestag ; 100, TXL

Arrivée Hackescher Markt ; S-Bahn Hackescher Markt

Distance 4,5 km (1 heure 30 à 2 heures)

Une petite faim ?

Sur Unter den Linden, reprenez des forces dans le cadre artistique du **Café Einstein** (www.einsteinudl.de ; Unter den Linden 42 ; plats 9-18 € ; 7h-22h).

Nikolaiviertel vu depuis la Spree

1 Reichstag

Construit en 1894, le **Reichstag** (p. 24) est le cœur historique du quartier du gouvernement. Son dôme de verre étincelant, ajouté dans années 1990, est devenu le fanal du Berlin réunifié.

2 Porte de Brandebourg

Seule porte des fortifications du XVIIIe siècle encore debout, la **porte de Brandebourg** (p. 26), voisine involontaire du Mur pendant la guerre froide, est aujourd'hui le symbole flamboyant de la réunification allemande.

3 Unter den Linden

Ancienne allée équestre reliant le palais royal de Berlin aux chasses royales de Tiergarten, **Unter den Linden** est l'avenue la plus prestigeuse de Berlin depuis le XVIIIe siècle. Parmi les majestueux édifices historiques qui la bordent, alignés comme des soldats prussiens à l'inspection, remarquez la plus vieille université berlinoise et le théâtre du Staatsoper.

❹ Gendarmenmarkt

La **Gendarmenmarkt** (p. 32), la plus belle place de Berlin, est encadrée par les dômes de deux églises séparées par la fameuse Konzerthaus (salle de concert). Les rues environnantes sont bordées d'hôtels élégants, de restaurants haut de gamme et de bar à cocktails chics.

❺ Île des Musées

Ponctué de statues, le pont Schlossbrücke conduit à la petite île sur la Spree où naquit Berlin au XIIIe siècle. La moitié nord de l'île, appelée **île des Musées** (p. 40), regroupe cinq grands musées remplis de tableaux, de sculptures et d'objets d'art.

❻ Nikolaiviertel

Avec ses rues pavées et ses maisons irrégulières, le **quartier Nikolai**, malgré ses allures médiévales, est un pur produit des années 1980. Il a été construit par le gouvernement socialiste pour le 750e anniversaire de la cité. Parmi les quelques édifices anciens se détachent les deux clochers de la Nikolaikirche (église Saint-Nicolas), devenue un musée.

❼ Scheunenviertel

En sommeil sous la RDA, le **Scheunenviertel**, quartier juif historique de Berlin, a été investi depuis la réunification par des magasins, des restaurants et des bars. Après un café dans la cour du Hackesche Höfe, découvrez les boutiques de créateurs locaux et les galeries d'art.

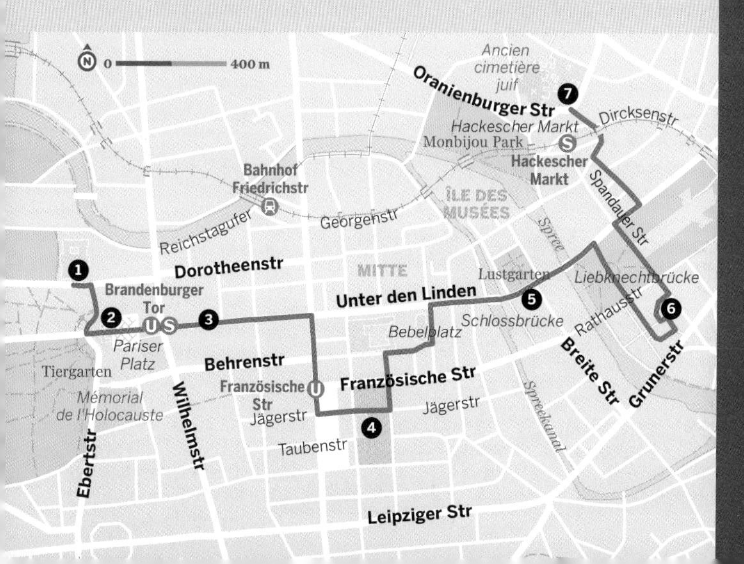

Les plus belles balades

Le long du Mur

Itinéraire

La construction du mur de Berlin a débuté peu après minuit le 13 août 1961. Durant 28 ans, cette triste barrière a divisé la ville et ses habitants, devenant le symbole le plus voyant de la guerre froide. Aujourd'hui, les deux moitiés de la ville se sont si bien fondues l'une dans l'autre qu'il est difficile de distinguer l'Est de l'Ouest. Pour retrouver l'atmosphère du temps de la division, suivez cet itinéraire le long de la section la plus centrale du Mur. Pour aller plus loin, louez un **Mauerguide** (Guide du Mur, en anglais ou en allemand ; www.mauerguide.com ; 10 € la journée) multimédia à Checkpoint Charlie.

Départ Checkpoint Charlie ; U-Bahn Kochstrasse

Arrivée Parlament der Bäume ; U-Bahn Bundestag

Distance 3 km ; 1 heure

Une petite faim ?

C'est sur la Potsdamer Platz (p. 66) que les cafés et restaurants sont les plus nombreux.

Portions du Mur sur la Potsdamer Platz

1 Checkpoint Charlie

Troisième poste frontière des Alliés, **Checkpoint Charlie** (p. 63) porte le nom de la troisième lettre de l'alphabet radio. Quelques semaines après l'achèvement du Mur, les tanks soviétiques et américains s'y défièrent durant un des épisodes les plus tendus de la guerre froide.

2 Niederkirchner Strasse

Une portion de 200 m du Mur longe la **Niederkirchner Strasse**. Endommagée par les amateurs de souvenirs, elle est aujourd'hui protégée par une clôture. La frontière était très étroite à cet endroit et le Mur rasait certains bâtiments comme l'ancien ministère de l'Armée de l'air nazie.

3 Tour de guet

C'est une des quelques **tours de guet** de la RDA à avoir été conservées. Une échelle étroite permettait aux gardes de gagner leur perchoir octogonal. Installé en 1969, ce modèle exigu fut ensuite remplacé par des tours carrées plus spacieuses.

❹ Potsdamer Platz

Cette place était autrefois un vaste no man's land coupé par le Mur, un "couloir de la mort" large de plusieurs centaines de mètres. Près de l'entrée nord du S-Bahn, plusieurs **fragments du Mur** et panneaux d'information sont visibles.

❺ Porte de Brandebourg

C'est au niveau de la **porte de Brandebourg** (p. 26) que débuta la construction du Mur. Parmi les nombreux hommes d'État qui ont prononcé des discours ici, le plus célèbre est peut-être Ronald Reagan qui déclara en 1987 : "M. Gorbachev, abattez ce mur !" Deux ans plus tard, le Mur tombait.

❻ Installation

À l'intérieur de la Marie-Elisabeth-Lüders-Haus, qui abrite la bibliothèque du Parlement, l'étage qui donne sur la berge contient une **installation** de l'artiste Ben Wagin. Elle est constituée de bouts du Mur sur lesquels sont inscrits pour chaque année le nombre de personnes tuées à la frontière. Si la porte est fermée, regardez par la vitre.

❼ Parlament der Bäume

Ben Wagin a aussi imaginé le **Parlement des arbres**, un mémorial constitué d'arbres, de pierres, d'images, de textes, d'une portion du Mur et des noms des 258 victimes gravés sur des plaques de granite.

Les plus belles balades

Traversée du Tiergarten

Itinéraire

Les souverains prussiens chassaient le sanglier et le faisan dans les bois de Tiergarten jusqu'à ce que Peter Lenné les aménage au XVIIIe siècle. C'est aujourd'hui un des plus grands parcs urbains du monde, un lieu apprécié pour la promenade, le jogging, le pique-nique et même le bronzage en nu intégral ! Il accueille aussi une immense fête du Nouvel An et des manifestations géantes comme le défilé du Christopher Street Day.

Départ Porte de Brandebourg ; U-/S-Bahn Brandenburger Tor

Arrivée Potsdamer Platz ; U-/S-Bahn Potsdamer Platz

Distance 4 km (1 heure à 1 heure 30)

Une petite faim ?

Au **Café am Neuen See** (Lichtensteinallee 2 ; à partir de 10h tlj mars-oct, juste le sam-dim nov-fév), un *Biergarten* au bord du lac, les bières fraîches se boivent avec des *Bratwürste*, *Bretzels* et pizzas. Location de bateau pour escapades romantiques.

1 Strasse des 17 Juni

La large avenue qui traverse le Tiergarten a été baptisé **rue du 17-Juin** en hommage aux ouvriers de Berlin-Est victimes de la répression sanglante de la révolte de 1953. Créée au XVIe siècle, cette artère reliait deux châteaux royaux. Hitler en doubla la largeur pour en faire une avenue triomphale bordée de croix gammées.

2 Sowjetisches Ehrenmal

Du côté de la porte de Brandebourg, le **Mémorial de guerre soviétique** est encadré de deux tanks russes T-34 qui auraient été les premiers à entrer dans Berlin en 1945. Achevé quelques mois après la fin de la guerre, il abrite plus de 2 000 soldats de l'Armée rouge inhumés derrière sa colonnade.

3 Schloss Bellevue

Plusieurs présidents allemands ont logé entre les murs blancs du **château de**

Bellevue. Ce bâtiment néoclassique appartint au plus jeune frère de Frédéric II le Grand, puis devint une école sous Guillaume II et un musée d'ethnologie sous le régime nazi. Il est fermé au public.

❹ Siegessäule

Au cœur d'un rond-point, cette **colonne de la Victoire**, érigée en 1873 pour célébrer les victoires militaires prussiennes, est aujourd'hui un symbole de la communauté homosexuelle berlinoise. Qu'en dirait Bismarck ? La victoire dorée qui couronne la colonne a été abondamment filmée par Wim Wenders dans *Les Ailes du désir*. Grimpez au sommet pour admirer le parc dans toute son étendue.

❺ Rousseauinsel

L'un des coins les plus charmants du Tiergarten est cette **île** minuscule entourée d'un étang paisible. Pour rendre hommage à Jean-Jacques Rousseau, elle a été conçue sur le modèle de l'île des Peupliers d'Ermenonville, près de Paris, où il fut inhumé avant d'intégrer le Panthéon. Repérez le mausolée de pierre qui trône en son centre.

❻ Luiseninsel

Autre lieu enchanteur, **Luiseninsel** est un parc clos et tranquille où foisonnent les statues et les massifs fleuris. Il fut créé après le départ des troupes napoléoniennes en 1808 pour célébrer le retour d'exil du couple royal, Frédéric-Guillaume III et la reine Louise.

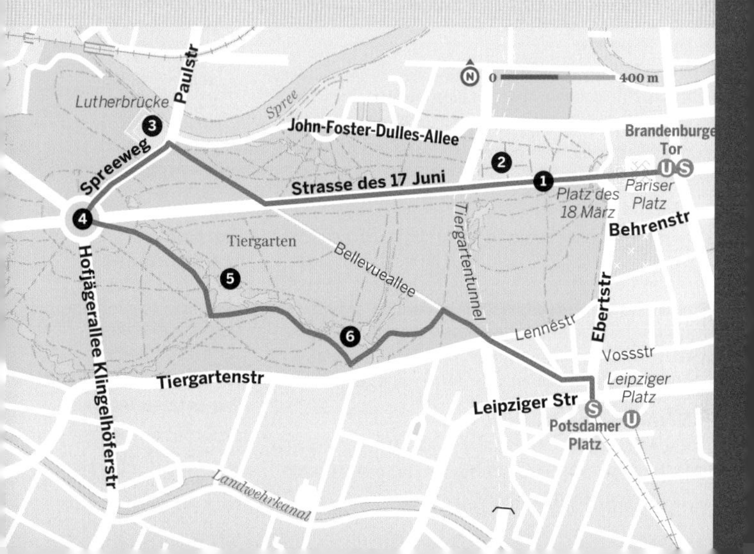

Envie de... **Restaurants**

Si vous rêvez d'une cuisine familiale traditionnelle, vous dénicherez facilement des enseignes servant du jarret de porc rôti, des côtes de porc fumées ou du foie de génisse. Mais la cuisine locale tend aujourd'hui vers plus de légèreté et d'originalité. Et parmi les établissements, on nombre d'adresses gastronomiques, bio et exotiques.

Cuisine allemande moderne

Les chefs sont de plus en plus nombreux à opter pour le "locavore" et à concocter des cartes de saison à base de produits locaux, en provenance directe de fermes souvent bio. Les auteurs du *Michelin* confirment que Berlin est mûr pour une moisson culinaire : ils ont octroyé leurs étoiles à 13 chefs.

Sur le pouce

L'humble *Currywurst*, une saucisse de porc épicée, nappée de sauce tomate et saupoudrée de curry, est aussi emblématique de Berlin que la porte de Brandebourg. Le doner kebab est un apport de l'importante communauté turque berlinoise.

Cuisine du monde

Berlin est une ville multiculturelle et cela se voit dans l'assiette, de la *Schnitzel* autrichienne aux steaks de zèbre zambien. Les sushis sont très prisés et les restaurants mexicains et coréens prolifèrent. L'abondance d'établissements asiatiques, surtout thaïlandais et vietnamiens, reflète le nouveau goût berlinois pour une cuisine goûteuse et légère.

Dernières tendances

Les restaurants végétaliens poussent plus vite que les haricots magiques, de même que les cafés bio à forte tendance "locavore".

À savoir

- Il est recommandé de réserver dans les établissements dont nous donnons le numéro de téléphone.
- De nombreux restaurants proposent des menus "d'affaires" de deux ou trois plats à prix intéressant le midi.

Cuisine traditionnelle

Max und Moritz
Gastropub centenaire pour les amateurs de viande. (photo ci-dessus ; p. 94)

Zur Letzten Instanz
Spécialités copieuses servies avec un brin de nostalgie. Depuis 1621. (p. 52)

Curry 36

Schusterjunge Un bistrot de quartier qui sublime la cuisine traditionnelle. (p. 118)

Cuisine allemande

Café Jacques Voyage culinaire en première classe à prix économique. (p. 99)

Frau Mittenmang Cuisine allemande revisitée, bière maison, vins fins. (p. 116)

Oderquelle Idéal pour déguster les bonnes vieilles recettes. (p. 117)

Schwarzer Hahn Bistrot *Slow Food*. (p. 106)

Cuisine du monde

Chén Chè Réveillez vos papilles dans cette maison de thé vietnamienne excentrée. (p. 80)

Uma Sushis, grillades et spécialités japonaises irrésistibles. (p. 35)

Defne Non, la cuisine turque ne se limite pas au doner kebab ! (p. 92)

Hartweizen Restaurant italien animé où explosent les joyeuses saveurs des Pouilles. (p. 80)

Grandes tables

Borchardt La meilleure *Wiener Schnitzel* de Berlin et une clientèle triée sur le volet. (p. 36)

Fischers Fritz Restaurant formel, étoilé au Michelin, servant des plats éblouissants. (p. 35)

Horváth Brillant mais rafraîchissant de simplicité malgré son étoile au Michelin. (p. 92)

Sur le pouce

Burgermeister Hamburgers gastronomiques servis dans d'anciennes toilettes. (p. 94)

Curry 36 Temple de la *Currywurst*, clientèle d'adeptes. (p. 71)

W – der Imbiss Berceau de la "naan pizza". (p. 118)

Dolores Burritos sur mesure et citronnades maison. (p. 81)

Végétalien et végétarien

Cookies Cream Havre discret pour herbivores, décontracté mais confortable. (p. 36)

Kopps Cuisine traditionnelle allemande mais sans aucun produit animal. (p. 81)

Envie de... Bars

Pubs douillets, bars de plage en bord de rivière, *Biergärten*, comptoirs à l'ancienne, bars à DJ, lounges d'hôtels tape-à-l'œil, cavernes à cocktails – vous n'aurez aucun mal à trouver un bar selon votre humeur du moment. Les plus agités se trouvent à Kreuzberg et Friedrichshain tandis que Mitte privilégie les bars chics avec portiers. Ceux situés à l'ouest conviennent mieux aux rendez-vous tarfifs qu'aux beuveries.

Mode d'emploi

Les serveurs viennent prendre votre commande à table dans les bars et pubs allemands. Ne commandez pas au comptoir sauf si vous avez l'intention d'y rester ou s'il y a un panneau *Selbstbedienung* (self-service). La coutume veut que l'on paie toutes ses boissons en une fois, au moment de partir. Dans les bars avec DJ, on ajoute généralement 1 € au prix de votre première consommation. Boire en public n'est pas interdit et très courant. Attention toutefois à rester correct !

Breuvages

La bière est omniprésente à Berlin et la plupart des bars proposent un choix de marques locales, nationales et étrangères. Une *Pils* est une bière blonde pression et une *Weizenbier* une bière de froment en bouteille. La qualité des vins va du pire au meilleur, ce qui explique l'existence du *Weinschorle*, un cocktail de vin et d'eau gazeuse. Le *Sekt* allemand et le prosecco italien (vins pétillants) sont servis sur glaçons, parfois avec un trait d'Aperol. Caipirinhas et mojitos sont servis partout en été mais, pour des mélanges plus élaborés, préférez les vrais bars à cocktails. Ceux qui ne boivent pas d'alcool trouveront facilement du *Saftschorle* (eau gazeuse et jus de fruit), un rafraîchissement qui change des sodas habituels.

RICHARD NEBESKY/LONELY PLANET IMAGES ©

☑ À savoir

- La frontière entre café et bar est souvent floue. Beaucoup d'adresses changent de casquette selon l'heure.
- Nombre de bars servent jusqu'à ce que les derniers buveurs s'en aillent.

Bars à cocktails

Bebel Bar Cocktails de luxe dans une ancienne banque. (p. 37)

Becketts Kopf Des barmen d'élite y concoctent de sublimes mélanges personnalisés. (p. 119)

Würgeengel Ambiance animée dans un décor 1960. (photo ci-dessus ; p. 89)

Solar

Bars branchés

Trust Salon fréquenté par une clientèle de créateurs prestigieux. (p. 83)

Neue Odessa Bar Salle confortable fréquentée par de belles créatures et d'autres pleines d'espoir. (p. 83)

KingSize Bar Un petit bar gay, toujours bondé. (p. 83)

Tausend Adresse glamour, derrière une porte sans enseigne. (p. 37)

Bars en plein air

Strandgut Berlin Plongez les pieds dans le sable de ce bar de plage chic en bord de rivière. (p. 108)

Strandbar Mitte Le plus ancien bar de plage berlinois avec vue sur l'île des Musées. (p. 53)

Freischwimmer Au bord d'un canal, idéal pour se détendre ou faire la fête. (p. 96)

Club der Visionäre Hangar à bateaux transformé en lieu festif où les DJ proposent des sets enlevés. (p. 94)

Bars avec vue

Solar Élégant et romantique, avec musique à l'avenant. (p. 66)

Puro Sky Lounge Ce lounge spacieux attire les apprenties célébrités qui ont de l'argent à dépenser. (p. 130)

Weekend L'été, admirez les lumières de l'Alexanderplatz depuis cette terrasse sur un toit. (p. 53)

Deck 5 Posé sur un centre commercial, ce bar permet de compter les clochers. (p. 119)

Biergärten

Cafe am Neuen See Bière et bretzels dans le parc de Tiergarten. (p. 148)

Prater Le plus ancien *Biergarten* berlinois. (p. 118)

Golgatha Pour prendre le frais sur la colline de Kreuzberg, la plus haute de Berlin. (p. 71)

Bars à DJ

Monarch Bar Simple et incontournable à Kreuzberg. (p. 88)

Madame Claude Bar sens dessus dessous. (p. 96)

Süss War Gestern Pour flirter et se prélasser sur des sofas. (p. 108)

Envie de... **Discothèques**

Berlin est la capitale allemande des discothèques, la ville où la techno s'est affirmée, le cœur battant de l'électro européenne, le berceau spirituel du week-end festif. Techno minimaliste, dubstep, punk inspiré, hip-hop endiablé, musique douce et même swing et tango, on peut changer de thème tous les soirs de la semaine.

Les rois des platines

Grâce aux grands DJ qui y vivent et à tous ceux qui y passent, Berlin est un laboratoire musical. L'offre est souvent incroyable. Les DJ à surveiller de près sont André Galluzzi, Ellen Allien, Kiki, Sasha Funke, Ricardo Villalobos, Paul Kalkbrenner, Modeselektor, Apparat, M.A.N.D.Y, Tiefschwarz, Gudrun Gut, Booka Shade, Richie Hawtin... Mais on ne peut tous les citer.

L'heure juste

Les longues nuits berlinoises se terminent de plus en plus tard. La plupart des discothèques et des soirées ne s'animent vraiment que vers 2h, et certaines fonctionnent sans discontinuer du vendredi soir au lundi matin. On peut dormir avant d'aller danser, ou enchaîner directement avec un brunch.

L'entrée

L'entrée coûte entre 12 et 15 € dans les plus grandes discothèques et de 3 à 10 € dans les autres. Le contrôle à l'entrée est parfois très sélectif lorsqu'il y a affluence dans des clubs comme le Berghain/ Panorama Bar (p. 108), le Watergate (p. 94) et le Cookies (p. 37), sinon, il est assez facile d'entrer. Peu importe votre style, et si votre attitude est correcte, l'âge ne compte pas. Si vous devez patienter dans une file, soyez calme et discret. N'arrivez pas ivre.

☑ À savoir

- Consultez **Resident Advisor** (RA ; www.residentadvisor.net) pour connaître les prochaines soirées.
- Pour savoir quel discothèque vous correspond le mieux, consultez www.clubmatcher.de.
- Épluchez RA, les flyers, les affiches et les magazines d'annonces locales pour connaître les nouvelles adresses, les raves, les festivals, les lancements de disque et autres événements.

Felix

Électro

Berghain Le temple de l'électro. (p. 108)

Watergate Deux niveaux, une situation superbe en bord de rivière et de belles personnes. (p. 94)

://about blank Hors norme et imprévisible, il est doté d'un beau jardin pour se détendre la journée. (p. 108)

K-TV L'extérieur ne paie pas de mine. Une fois à l'intérieur, on comprend pourquoi cette adresse est toujours bondée. (p. 83)

Cookies Chic et sexy dans un décor glamour datant de la RDA. (photo p. 154 ; p. 37)

Weekend Repaire spacieux doté d'une vue exceptionnelle et d'une superbe terrasse sur le toit. (p. 53)

Non électro

Clärchens Ballhaus Salsa, tango, danses de salon, disco et swing dans une belle salle de bal rétro. (p. 82)

Kaffee Burger Disco russe et longues nuits surchauffées. (p. 83)

Felix Lieu apprêté où s'entassent des noctambules fortunés. (p. 37)

Vaut le détour

Successeur du légendaire Bar 25, **Kater Holzig** (www.katerholzig.de, en allemand ; Michaelkirchstrasse 23 ; U-Bahn Heinrich-Heine-Strasse) est un lieu festif en bord de rivière, aménagé dans une ancienne fabrique de savons couverte de graffitis. À l'intérieur, une piste de danse techno peu éclairée, un saloon douillet avec une scène pour les musiciens et le restaurant Katerschmaus, paré d'un décor graffiti-glam halluciné. Entrée très sélective.

Envie de... Musique

À chaque jour son concert ! Comptant au moins 2 000 groupes en activité, d'innombrables salles de concert intimes ou immenses et des dizaines de labels indépendants, Berlin est la capitale du son. Les Berlinois sont aussi friands de jazz et de musique classique, la ville comptant plusieurs ensembles prestigieux, dont le fameux Orchestre philarmonique de Berlin.

Rock, pop et indé

Magnet Vous risquez d'y entendre les grands noms de demain. (p. 96)

Lido Des grands noms dans un cadre intime et des soirées rock. (p. 96)

Astra Kulturhaus Pour écouter des groupes indé, y compris des têtes d'affiche. (p. 109)

Jazz et blues

B-Flat La programmation mélange inconnus et grands noms pour un public mordu et respectueux. (photo ci-dessus ; p. 84)

Yorckschlösschen Salle aux allures de pub pour des musiciens épatants sans épate. (p. 71)

A-Trane Club de jazz qui semble avoir toujours été là, connu pour accueillir les grands noms et organiser des *jam sessions* légendaires. (p. 131)

Classique

Philarmonie de Berlin (Berliner Philharmonie) La "cathédrale du son" de l'un des meilleurs orchestres du monde. (p. 67)

Konzerthaus Berlin Merveille construite par Schinkel sur la Gendarmenmarkt. (p. 38)

Vaut le détour

Waldbühne (www.waldbuehne-berlin.de ; Am Glockenturm ; S-Bahn Pichelsberg). L'été à Berlin ne serait pas le même sans cette scène sous les étoiles offerte aux symphonies, aux grands noms du rock, du jazz, aux comédies et aux présentations de films. Cet amphithéâtre à ciel ouvert construit en 1936 en pleine forêt est situé à environ 8 km à l'ouest du Zoologischer Garten, près du stade olympique.

Envie de... Spectacles

Berlin aime les spectacles et ceux-ci font souvent salle comble. Peu de villes peuvent se prévaloir d'abriter 3 opéras d'État, une scène théâtrale aussi vigoureuse et des cabarets au riche passé – ils plongent leurs racines dans les Années folles. Les cabarets connaissent d'ailleurs un véritable renouveau et proposent des programmes vivants et colorés.

Théâtre

Berliner Ensemble
L'ancien théâtre de Bertolt Brecht est toujours en pleine activité. Outre des pièces du maître, on y interprète les classiques allemands. (p. 38)

Admiralspalast
Cette salle des années 1920 récemment rénovée propose une programmation éclectique allant de la danse au théâtre en passant par les comédies musicales. (photo ci-dessus ; p. 38)

Cabaret

Chamäleon Varieté
Mélange d'acrobaties, de chansons et de numéros sexy dans le cadre intime d'une ancienne salle de bal. (p. 84)

Bar Jeder Vernunft
Ce superbe chapiteau vous transporte dans le décor de *Cabaret*. (p. 130)

Friedrichstadtpalast
Le plus grand cabaret d'Europe présente des shows pailletés dignes de Las Vegas. (p. 84)

Vaut le détour

Staatsoper (www.staatsoper-berlin.de ; Bismarckstrasse 110 ; U-Bahn Ernst-Reuter-Platz). Durant la restauration de sa salle historique d'Unter den Linden, les productions du plus grand opéra de Berlin, dirigé par Daniel Barenboïm, sont programmées au Schiller Theater.

Deutsche Oper Berlin (www.deutscheoperberlin.de ; Bismarckstrasse 35 ; U-Bahn Deutsche Oper). L'autre opéra de Berlin est installé dans la même rue que le Schiller Theater. Toutes les œuvres sont chantées dans leur langue d'origine.

À savoir

▸ Beaucoup de théâtres sont fermés le lundi et en juillet-août.

Envie de... Scène gay et lesbienne

La légendaire ouverture d'esprit berlinoise a donné naissance à une des scènes gays et lesbiennes les plus vivantes et diversifiée du monde. Tous les genres sont possibles à "Homopolis", intellectuel ou ouvrier, bourgeois ou excentrique, conventionnel ou délirant. À l'exception des plus "hards", les établissements gays sont aussi fréquentés par des individus de l'autre sexe et des hétérosexuels.

DAVID PEEVERS/LONELY PLANET IMAGES ©

À savoir

- L'hebdomadaire gratuit **Siegessäule** (www.siegessaeule.de, en allemand) est la bible des homosexuels à Berlin.
- Le guide gratuit anglais/allemand **Out in Berlin** (www.out-in-berlin.de) est aussi indispensable.
- Le meilleur site de rencontres en ligne à Berlin est www.gayromeo.com.

Secteurs gays

Schöneberg (surtout la Motzstrasse et la Fuggerstrasse) est le seul véritable quartier gay de Berlin. Le drapeau arc-en-ciel y flottait déjà dans les années 1920. On y fait la fête plutôt à l'ancienne et les moins de 35 ans privilégient d'autres quartiers. Kreuzberg est actuellement le rendez-vous des plus branchés ; l'Oranienstrasse et le Mehringdamm sont les plus animés. Sur l'autre rive, Friedrichshain, moins bien pourvu en bars gays compte des clubs incontournables comme le Berghain/Panorama Bar et le club "hard" Lab.oratory. À Prenzlauer Berg, les adresses gays sont plus disséminées.

Adresses gays

La scène gay berlinoise va du café tranquille au bar extravagant en passant par les cinémas et les saunas, les lieux de drague et les clubs avec *darkroom*. Le sexe fait partie du quotidien pour les Berlinois que rien ne choque, et il y a peu de choses qu'on ne puisse pratiquer ouvertement. Comme partout, les hommes ont plus de choix mais les grrrrls – raffinées ou camionneuses – ne s'y sentiront pas délaissées. Certaines des meilleures soirées sont nomades et peuvent changer d'adresse. Suivez leur actualité sur les sites Internet et les magazines.

Défilé de Christopher Street Day (Gay Pride berlinoise, en mars)

Bars et cafés

Roses Une adresse rose, outrancière, déjantée et incontournable. (p. 89)

Café Berio Ce café à l'ancienne a pour devise "plaisir, détente et flirt". (p. 133)

Möbel Olfe La clientèle est généralement mixte mais les gays sont rois le jeudi. (p. 89)

Zum Schmutzigen Hobby Le repaire louche de la divine Nina Queer n'est pas pour les mauviettes. (p. 108)

Himmelreich Discrétion, confort et conversation... Excellentes pâtisseries le week-end. (p. 109)

Marietta Les gays commencent la soirée du mercredi dans ce bar rétro. (p. 119)

Clubs et soirées

Berghain Usine convertie en temple de la techno et de l'électro pour adeptes virils ; avec *darkroom*. (p. 108)

Weekend Le club roi du dimanche soir, avec la soirée GMF. Réputé pour sa clientèle poseuse. (p. 53)

Bassy Le jeudi, on se déchaîne lors des soirées "House of Shame" de la diva irrévérencieuse Chantal. (p. 119)

SO36 Organise notamment les soirées gays "Cafe Fatal" le dimanche soir. (p. 89)

Vaut le détour

SchwuZ (www.schwuz.de, en allemand ; Mehringdamm 61 ; mer, ven-sam ; U-Bahn Mehringdamm) dans l'ouest de Kreuzberg, est une institution pittoresque et accueillante pour découvrir la scène gay. Prenez des forces au café-bar **Melitta Sundström**, avant de descendre au sous-sol pour flirter avec des Berlinois sur des tubes rétro. Les lesbiennes prennent le pouvoir le dernier samedi du mois pour la soirée **L-Tunes**.

Envie de... Art

Berlin, où vivent plus de 10 000 artistes, est une ville vibrante d'imagination et d'optimisme, un chaudron culturel. La ville compte plus de galeries que New York (environ 600) et une impressionnante gamme de musées qui retracent l'histoire de l'art depuis l'Antiquité.

Plein les yeux

Les amateurs d'art ne sauront plus où donner de la tête à Berlin, une des scènes artistiques européennes les plus dynamiques et excitantes. On y a vu l'éclosion d'œuvres remarquables dont celles de l'artiste islando-danois Olafur Eliasson. D'autres artistes contemporains importants vivent et travaillent à Berlin, tels Thomas Demand, Jonathan Meese, Via Lewandowsky, Isa Genzken, Tino Sehgal, Esra Ersen, John Bock et le duo constitué d'Ingar Dragset et de Michael Elmgreen.

Quartiers des galeries

Les galeries reconnues sont nombreuses à Scheunenviertel, surtout dans la Linienstrasse et l'Auguststrasse, et dans les petites rues de Kurfürstendamm comme la Fasanenstrasse. Dans le secteur de Checkpoint Charlie, les artistes bien établis de la Zimmerstrasse côtoient les petits nouveaux de la Markgrafenstrasse. Depuis quelques années, la Potsdamer Strasse au sud de la Potsdamer Platz est aussi un centre névralgique, plusieurs galeries importantes ayant migré dans ce secteur moins embourgeoisé de Schöneberg.

À savoir

- La carte Berlin Museum Pass (19 €) donne accès à 70 musées pendant 3 jours consécutifs. (p. 178)
- **GoArt** (www.goart-berlin.de). Ouvre les portes de la scène artistique lors de circuits personnalisés présentant des collections privées, des ateliers d'artistes, des galeries et des œuvres de rues.

Événements

Biennale de Berlin (www.berlinbiennale.de). Art international.

Gallery Weekend (www.gallery-weekend-berlin.de). Visite gratuite des meilleures galeries.

Ancienne Galerie nationale

Musées

Pinacothèque Un trésor d'œuvres de maîtres anciens. (p. 56)

Nouvelle Galerie nationale Les artistes du XXe siècle disposent d'un écrin de verre. (photo p. 160 ; p. 64)

Ancienne Galerie nationale Art européen du XIXe siècle. (p. 50)

Musée Guggenheim Présente des œuvres récentes d'artistes contemporains réputés. (p. 35)

Galeries contemporaines

KW Institute for Contemporary Art Les stars de demain. (p. 79)

Collection Boros Artistes de réputation internationale. (p. 79)

Daimler Contemporary Art abstrait, conceptuel et minimaliste, du monde entier. (p. 61)

Collections spécialisées

Musée Berggruen D'inestimables Picasso et des œuvres de Klee et de Giacometti. (p. 136)

Collection Scharf-Gerstenberg Entrez dans l'univers de Goya et Dalí, entre autres. (p. 136)

Musée Käthe-Kollwitz Hommage à la plus grande artiste féminine allemande du XXe siècle. (p. 126)

Musée Emil-Nolde Paysages colorés et thèmes végétaux du maître de l'expressionnisme allemand. (p. 33)

Vaut le détour

Principal musée d'art contemporain berlinois, le **Hamburger Bahnhof** (www.hamburgerbahnhof.de ; Invalidenstrasse 50-51 ; adulte/tarif réduit 8/4 € ; 10h-18h mar-ven, 11h-20h sam, 11h-18h dim ; U-/S-Bahn Hauptbahnhof) présente des œuvres d'Andy Warhol, de Roy Lichtenstein, d'Anselm Kiefer, etc., dans une gare du XIXe siècle transformée et dans un entrepôt de 300 m de long. À 5 minutes à pied à l'est de la Hauptbahnhof.

Envie de... Architecture

De retour de la capitale allemande, Mark Twain écrivait en 1891 : "Berlin est ville la plus récente que j'aie vue." C'est toujours vrai. Destructions et division ont fait du Berlin actuel une vitrine du XXe siècle où seuls subsistent quelques vestiges plus anciens.

Post-réunification

La réunification a offert à Berlin l'opportunité de se redéfinir architecturalement. Avec la disparition du Mur, de vastes espaces vides sont apparus dont l'aménagement devait permettre de tisser un lien entre les deux moitiés de la ville. Un défi relevé avec audace. La plus imposante création de la réunification est la Potsdamer Platz, interprétation contemporaine d'une célèbre place historique. Le quartier du gouvernement affiche une esthétique plus avant-gardiste, surtout la Chancellerie (p. 25) et le Reichstag restauré (p. 25).

L'empreinte de Schinkel

Karl Friedrich Schinkel (1781-1841) a laissé son empreinte dans le Berlin prussien. Architecte essentiel du néoclassicisme allemand, ses édifices allient fonctionnalité et beauté grâce à des lignes pures, des compositions symétriques et un sens esthétique aigu.

Années 1920 et Bauhaus

Le vent d'innovation qui souffle sur Berlin dans les années 1920 a attiré quelques-uns des plus grands architectes d'avant-garde, notamment Le Corbusier, Hans Scharoun et Ludwig Mies van der Rohe. Ce dernier participera à l'aventure du Bauhaus, qui promeut des principes anti-élitistes pour concilier forme et fonction et aura une influence profonde sur l'esthétique moderne.

Schinkel

Ancien Musée Une façade à colonnade monumentale inspirée par une école de philosophie athénienne. (p. 49)

Konzerthaus Berlin Le grand escalier conduit au portique à colonnes de cette célèbre salle de concert. (p. 38)

Nouvelle Garde Un ancien corps de garde d'inspiration gréco-romaine. (p. 33)

Prusse

Porte de Brandebourg Cet arc de triomphe est le monument allemand le plus connu. (p. 26)

Château de Charlottenburg Ravissant étalage de la grandeur prussienne. (p. 134)

DAVID PEEVERS/LONELY PLANET IMAGES ©

La Philarmonie de Berlin, conçue par Hans Scharoun

Château de Sans-Souci Retraite rococo de Frédéric II le Grand. (p. 138)

Cathédrale de Berlin Ancienne église de la cour, de style néo-Renaissance pompeux. (p. 50)

Après guerre

Nouvelle Galerie nationale Merveille de verre et d'acier imaginée par Ludwig Mies van der Rohe. (p. 64)

Philharmonie de Berlin Cette salle étonnante est le chef-d'œuvre "organique" de Hans Scharoun. (p. 67)

Maison des Cultures du monde Le toit de cette structure avant-gardiste défie les lois de la gravité. (p. 38)

Après 1989

Musée juif Son architecture en zigzag signée Daniel Libeskind est une métaphore de l'histoire juive. (p. 68)

Nouveau Musée L'architecte britannique David Chipperfield l'a reconstruit en mêlant astucieusement l'ancien et le nouveau. (p. 46)

Sony Center Cet ensemble de verre et d'acier élancé dû à Helmut Jahn est le plus étonnant de la Potsdamer Platz. (photo p. 162 ; p. 61)

IM Pei Bau Annexe géométrique du musée de l'Histoire allemande flanquée d'une spirale de verre, œuvre du "mandarin du modernisme". (p. 32)

Vaut le détour

Édifié par les nazis pour les Jeux de 1936, le **Stade olympique** (☎2500 2322 ; www.olympiastadion-berlin.de ; Olympischer Platz 3 ; adulte/tarif réduit 4/3 € ; tlj ; S-Bahn Olympiastadion) a été entièrement modernisé pour la Coupe du monde de football 2006. Un toit ovale arachnéen est venu adoucir son allure massive. Il accueille des matchs de foot, des concerts, des événements importants et se visite le reste du temps.

Envie de... **Patrimoine historique**

Le passé est omniprésent à Berlin. En balade sur les boulevards et à travers les différents quartiers, on passe forcément devant des édifices évoquant la gloire prussienne, les jours sombres du IIIe Reich, les tensions de la guerre froide ou l'euphorie de la réunification. Mieux qu'un livre en relief.

L'époque prussienne

Berlin devint résidence royale avec l'accession au trône de Frédéric Ier en 1701. Cette promotion se traduisit par des constructions prestigieuses, qui atteignirent leur apogée avec Frédéric II le Grand, aussi désireux de s'affirmer comme monarque bâtisseur que roi guerrier. Au XIXe siècle, la Prusse connut révolutions et industrialisation, et prit la tête de l'unification allemande, qui fut proclamée en 1871.

Berlin sous la férule nazie

Aucun pouvoir politique n'a plus marqué le XXe siècle que l'Allemagne nazie. La mégalomanie d'Hitler et de ses acolytes a porté la destruction dans une grande partie de l'Europe, provoquant la mort d'au moins 50 millions de personne et modifiant définitivement l'ordre du monde. Peu de monuments de l'époque ont subsisté, mais des mémoriaux et des musées permettent de ne pas oublier ces heures sombres.

La guerre froide

Après la Seconde Guerre mondiale, l'Allemagne se retrouve divisée du fait des idéologies opposées des puissances victorieuses. La frontière est matérialisée par des barrières et un mur. Les différences entre les deux Allemagnes sont encore palpables à Berlin le long des restes du Mur, mais aussi à travers les plans des quartiers et les styles architecturaux.

Prusse

Porte de Brandebourg
Porte de la cité royale et symbole le plus emblématique de l'Allemagne. (p. 26)

Reichstag
Siège somptueux du parlement allemand. (p. 24)

Château de Charlottenburg
Aperçu du train de vie de la famille royale. (p. 134)

Colonne de la Victoire (Siegessäule)
Couronnée d'une immense déesse dorée. (photo ci-dessus ; p. 149)

Mémorial de l'Holocauste

IIIe Reich

Mémorial de l'Holocauste Il commémore l'indicible horreur du génocide de la Seconde Guerre mondiale. (p. 28)

Topographie de la terreur Les innombrables visages de la barbarie nazie. (p. 63)

Mémorial de la Résistance allemande Un hommage à ceux et celles qui se sont opposés aux nazis. (p. 64)

Berlin-Est

East Side Gallery Le plus long segment du Mur encore debout, devenu une œuvre d'art. (p. 102)

Mémorial du mur de Berlin Hommage aux victimes du Mur. (p. 74)

Karl-Marx-Allee Pompeuse mais impressionnante, l'artère principale de Berlin-Est est une vitrine de l'architecture socialiste. (p. 106)

Tränenpalast (palais des larmes) Le drame de la division allemande vécu par les citoyens ordinaires. (p. 32)

Checkpoint Charlie Célèbre poste-frontière et zone sensible de la guerre froide. (p. 63)

Vaut le détour

Les Allemands poursuivis par le ministère de la Sécurité d'État (Stasi) de la RDA finissaient souvent à la **prison de la Stasi** (www.stiftung-hsh.de ; Genslerstrasse 13a ; adulte/tarif réduit 5/2,50 € ; visite en anglais 14h30 mer et sam, en allemand tlj ; M5 jusqu'à Freienwalder Strasse). La visite révèle la cruauté à laquelle furent confrontées des milliers de personnes accusées d'être des opposants au régime, dont beaucoup d'innocents.

Envie de... **Musées**

Musées historiques

Musée de l'Histoire allemande Un voyage à travers 2 000 ans d'un passé tumultueux. (photo ci-contre ; p. 32)

Story of Berlin L'histoire de Berlin dans un musée multimédia ludique. (p. 127)

Musée juif Au-delà de l'Holocauste, toute l'histoire des Juifs en Allemagne. (p. 68)

Musée de la RDA Un regard intéressant sur la vie quotidienne derrière le rideau de fer. (p. 49)

Musées spécialisés

Musée Bröhan Objets et mobilier Art déco, Art nouveau et fonctionnalistes. (p. 136)

Musée Kennedy Hommage au président américain assassiné et à sa famille. (p. 27)

Muséum d'histoire naturelle Rencontre avec des dinosaures géants dans le "Jurassic Park" berlinois. (p. 79)

Musée du Cinéma et de la Télévision Un voyage divertissant dans l'histoire du 7e art allemand. (p. 61)

Musée de la Photographie Pleins feux sur l'œuvre du sulfureux photographe de mode Helmut Newton. (p. 126)

Antiquités

Musée de Pergame Trésors d'architecture monumentale des civilisations anciennes. (p. 42)

Ancien Musée Ce somptueux bâtiment signé Schinkel abrite d'inestimables œuvres grecques, étrusques et romaines. (p 49)

Nouveau Musée Rendez visite à la reine Nefertiti et à son entourage. (p. 46)

Vaut le détour

Musée de la Stasi (www.stasimuseum.de ; Maison 1, Ruschestrasse 103 ; adulte/tarif réduit 5/4 € ; 11h-18h lun-ven, 14h-18h sam-dim ; U-Bahn Magdalenenstrasse). L'ancien siège de la Stasi est devenu un musée où l'on peut voir un fourgon de transport des détenus, des dispositifs de surveillance (cachés dans des arrosoirs, des cailloux et même des cravates) et les bureaux d'une netteté obsessionnelle du chef de la Stasi, Erich Mielke.

MARTIN MOOS/LONELY PLANET IMAGES ©

À savoir

- On peut acheter les billets de nombreux musées à l'avance en ligne, pour éviter les files d'attente.
- Les amateurs de musées ont intérêt à se procurer la carte Berlin Museum Pass (19 € ; voir p. 178), qui donne accès à 70 musées pendant 3 jours consécutifs.

Envie de...
Coins tranquilles

Si vous avez atteint votre seuil maximal de visites culturelles, de shopping et de soirées enfiévrées, il y a plein de lieux à Berlin où vous régénérer. Des espaces paisibles en plein air et des sites tranquilles sont présents dans chaque quartier.

RICHARD NEBESKY/LONELY PLANET IMAGES ©

Parcs et jardins

Tiergarten Perdez-vous parmi les pelouses, les arbres et les sentiers de ce gigantesque parc urbain. (p. 148)

Parc du château de Charlottenburg Organisez un pique-nique près du bassin des carpes tout en méditant sur les fastes royaux. (photo ci-dessus ; p. 135)

Parc de Sans-Souci Échappez à la foule dans un coin de ce vaste parc royal. (p. 138)

Cimetières

Ancien cimetière juif Le plus ancien cimetière juif de Berlin, saccagé par les nazis. (p. 80)

Cimetière juif de la Schönhauser Allee Dernière demeure du peintre Max Liebermann et de célèbres Juifs berlinois. (p. 116)

Mémoriaux

Nouvelle Garde Mémorial aux victimes de la guerre orné d'une poignante sculpture de Käthe Kollwitz. (p. 33)

Mémorial de l'Holocauste Dédale géant de stèles de béton à la mémoire des victimes du génocide nazi. (p. 28)

Mémorial du pont aérien Un hommage au "triomphe de la volonté". (p. 71)

Églises

Cathédrale de Berlin L'église impériale trône en majesté sur l'île des Musées. (p. 50)

Gethsemanekirche Cette belle église du XIXe siècle a joué un rôle important dans la chute du régime de la RDA. (p. 116)

Vaut le détour

Mémorial de guerre soviétique (gratuit ; 24h/24 ; S-Bahn Treptower Park). Dans le sud de Kreuzberg, au cœur du Treptower Park, ce mémorial gigantesque abrite 5 000 tombes de soldats soviétiques tués lors de la bataille de Berlin, témoignage impressionnant du tribut versé par l'URSS lors de la Seconde Guerre mondiale. Après le portail en pierre, à environ 750 m au sud-est de la station de S-Bahn en empruntant la Puschkinallee.

Envie de... Shopping

Berlin est une ville propice au lèche-vitrines. Les centres commerciaux et les magasins de chaînes abondent. En même temps, le fort individualisme des Berlinois se manifeste dans les nombreuses boutiques de petits créateurs. Le plaisir de l'œil est aussi important que le plaisir d'acheter. Quel que soit son budget, chacun trouvera des articles originaux à rapporter.

Plan de bataille

Les boulevards berlinois dédiés au shopping sont Kurfürstendamm (Ku'damm) et son prolongement, Tauentzienstrasse. Ils sont bordés des enseignes de marques présentes dans toutes les grandes villes (Mango, H&M, Levi's...). On retrouve le même style de boutiques dans des centres commerciaux comme Alexa et Potsdamer Platz Arkaden.

Pour un shopping plus original, il faut savoir quitter les artères principales pour arpenter les *Kieze* (quartiers). Là se multiplient les boutiques indépendantes typiques du dynamisme berlinois. Chaque *Kiez* a son caractère, son identité et ses adresses adaptées aux besoins, aux goûts et au portefeuille de ses habitants.

Heures d'ouverture

Les grands magasins, supermarchés et boutiques des grands quartiers commerçants (comme Kurfürstendamm) et les centres commerciaux ouvrent généralement de 10h à 20h, voire plus tard. Les magasins plus modestes ont des horaires flexibles ; ils ouvrent parfois en milieu de matinée pour fermer à 19h, quelquefois plus tôt le samedi. Les commerces sont fermés le dimanche, sauf quelques boulangeries, supermarchés, fleuristes et boutiques de souvenirs. Voir aussi p. 179.

STEPHEN WILSON PHOTOGRAPHY / ALAMY ©

À savoir

- La plupart des commerces, surtout les petits n'acceptent pas les cartes bancaires.
- Pour continuer vos achats le dimanche, visitez un des fabuleux marchés aux puces berlinois.

Librairie

Dussmann – Das Kulturkaufhaus Le paradis des livres et de la musique, ouvert tard le soir. (p. 39)

Marchés aux puces

Mauerpark Noir de monde, mais c'est le meilleur terrain pour chiner. (p. 113)

Les Galeries Lafayette

Arkonaplatz Plus petit et moins bondé. Tout pour s'équiper vintage. (p. 120)

Boxhagener Platz Chasse au trésor, cafés et m'as-tu-vu. (p. 109)

Made in Berlin

Ausberlin Pour les chasseurs de marques alternatives. (p. 53)

Bonbonmacherei Confiserie à l'ancienne. (p. 84)

Frau Tonis Parfum Faites-vous concocter une senteur sur mesure. (p. 67)

Ta(u)sche Rangez vos achats dans une de ces astucieuses besaces. (p. 121)

Ampelmann Galerie Déclinaison de l'agent de la circulation emblématique de Berlin-Est. (p. 85)

Alimentation et boissons

KaDeWe Le 6e étage de ce grand magasin de luxe est un paradis pour gastronomes. (p. 131)

Fassbender & Rausch Pralines, truffes fines et autres chocolats. (photo p. 168 ; p. 39)

1. Absinth Depot Berlin Rendez-vous avec la "fée verte" dans un dépôt original. (p. 85)

Centres commerciaux et grands magasins

Galeries Lafayette Le chic parisien dans un bâtiment de Jean Nouvel. (p. 39)

KaDeWe Autre grand magasin, à éviter si vous n'êtes pas en fonds. (p. 131)

Friedrichstadtpassagen Trois galeries chics dont la somptueuse conception intérieure séduit autant que le contenu des boutiques (p. 39)

Boutiques originales

Erfinderladen Berlin Des inventions aussi singulières qu'indispensables. (p. 120)

Luxus International Des objets imaginés par de jeunes créateurs. (p. 121)

Killerbeast On y fabrique de nouveaux vêtements à partir d'habits d'occasion. (p. 97)

Mondos Arts Objets cultes de la RDA, des coquetiers en forme de poule jusqu'aux préservatifs. (p. 109)

Envie de... Circuits organisés

Si vous venez à Berlin pour la première fois, vous laisser guider est une bonne manière de prendre vos marques, de voir les sites les plus importants et de vous faire une idée générale de la ville. Les visites les plus variées sont possibles, du tour de la ville en bus aux sorties à thèmes choisis.

Circuits à pied et à vélo

Plusieurs organismes proposent des visites de la ville en anglais, plus rarement en français, et des circuits à thème (sur le IIIe Reich, la guerre froide, Potsdam, etc.) sans réservation – il suffit de se rendre au point de rendez-vous. Ces circuits changent constamment : consultez les dépliants à la réception des hôtels et des auberges de jeunesse ou renseignez-vous en ligne. Certains guides se contentent d'un pourboire, les meilleurs circuits coûtent de 10 à 15 €.

Circuits en bateau

Berlin peut se découvrir depuis le pont d'un bateau, sur ses rivières, canaux ou lacs. Ces circuits vont de la boucle d'une heure dans le centre historique (à partir de 9 €) aux sorties plus longues jusqu'au château de Charlottenburg et au-delà (à partir de 13,50 €). La plupart comportent une explication en anglais et en allemand. Les points d'embarquement sont regroupés près de l'île des Musées.

Circuits en bus

De nombreux bus colorés (souvent dotés d'un étage découvert en été) proposent un tour des principaux monuments en 2 heures accompagné d'un commentaire enregistré en plusieurs langues. On peut descendre et remonter à n'importe lequel de leurs arrêts. Ils partent toutes les 15 à 30 minutes de 10h à 17h ou 18h tous les jours ; le tarif varie de 10 à 20 €.

☑ À savoir

- Grimpez sur le toit d'un **bus n°100 ou 200** (2,30 €) au Zoologischer Garten ou sur l'Alexanderplatz et regardez défiler les principaux monuments de Berlin derrière les vitres.
- Pour effectuer sans guide le parcours du Mur, louez un **Mauerguide** (Guide du Mur ; www.mauerguide.com ; la journée 10 €) multimédia, en allemand ou en anglais. Disponibles à Checkpoint Charlie, au mémorial du Mur de Berlin et dans la station d'U-Bahn Brandenburger Tor.

La porte de Brandebourg

Circuits à pied et à vélo

Berlin Walks (☎301 9194 ; www.berlinwalks.de). Découvrez les dessous historiques de Berlin avec les guides compétents du plus ancien organisme de circuits en anglais.

Berlin on Bike (☎4373 9999 ; www.berlinonbike.de). Propose notamment une superbe visite du Mur à vélo et de mystérieuses excursions nocturnes.

Brewer's Berlin Tours (☎0177-388 1537 ; www.brewersberlintours.com). Pour l'"épique "Best of Berlin", le massage des pieds n'est pas compris. Circuits plus courts gratuits.

New Berlin Tours (☎5105 0030 ; www.newberlintours.com). Visites dynamiques et amusantes de Berlin par les pionniers de la visite gratuite et de la tournée des bars.

Circuits thématiques

Berliner Unterwelten (☎4991 0517 ; www.berliner-unterwelten.de ; circuits 10-13 €). Explorez le côté obscur de Berlin, lors d'une visite des bunkers, abris et souterrains de la Seconde Guerre mondiale.

Fritz Music Tours (☎3087 5633 ; www.musictours-berlin.com ; circuits 19 €). Vous découvrirez tout du légendaire Berlin musical lors de cette visite en bus, de David Bowie à U2, des clubs cultes à la Love Parade. Également : visites privées en minibus, visites à pied et visites des studios d'enregistrement Hansa.

Trabi Safari (☎2759 2273 ; www.trabi-safari.de ; 30-60 €/pers). Retrouvez l'atmosphère du film *Good Bye, Lenin!* le temps d'une visite de l'est de Berlin, au volant d'une Trabant (Trabi) d'époque avec commentaire audio.

Berlinagenten (☎4372 0701 ; www.berlinagenten.com ; circuit 3 heures groupes jusqu'à 6 pers à partir de 300 €). Découvrez l'art de vivre berlinois avec cet organisme bien informé qui vous emmène dans les coulisses des bars, boutiques, restaurants et clubs à la mode. Pour tout savoir sur la scène culinaire, inscrivez-vous au Gastro-Rallye.

Envie de... Visiter avec des enfants

Découvrir Berlin en compagnie d'enfants est une partie de plaisir. Les parcs et les espaces de jeux abondent dans tous les quartiers. Vous pouvez même trouver une piscine publique très facilement. En plus des visites pour lesquelles ils partageront le même enthousiasme que vous, vous pouvez en ajouter qui s'adressent spécifiquement à eux : zoo, musées, parcs de loisirs. Et pourquoi ne pas les amener voir un spectacle de marionnettes ou une comédie musicale ?

Legoland Discovery Centre (www.legolanddiscoverycentre.com ; Sony Center, Potsdamer Strasse 4 ; adulte/enfant 16/13 € ; 10h-19h, fermeture des portes 17h ; U-/S-Bahn Potsdamer Platz). Un espace de loisirs avec cinéma 4D, "fabrique" de Lego, parcours dans la jungle plein de crocos en Lego, circuit en petit train dans un château avec dragon et visite d'un Berlin miniature dont les monuments sont entièrement construits avec ces petites briques de plastique.

Sea Life Berlin (www.visitsealife.com/berlin ; Spandauer Strasse 3 ; adulte/tarif réduit 17/12 € ; 10h-19h, fermeture des portes 18h ; 100, 200, TXL). Cet aquarium suit la faune marine de la Spree jusqu'à l'Atlantique nord. La visite se termine par la traversée en ascenseur de l'AquaDom (photo ci-dessus), un aquarium cylindrique de poissons tropicaux haut de 25 m.

Madame Tussauds Berlin (www.madametussauds.com/berlin ; Unter den Linden 74 ; adulte/tarif réduit 20/19 € ; 10h-19h, fermeture des portes 18h ; U-/S-Bahn Brandenburger Tor). Si vous n'avez rencontré aucune célébrité en ville, ce légendaire musée de cire mettra sur votre route Lady Gaga, Robert Pattinson et Barack Obama, qui se laisseront prendre en photo sans bouger un cil.

Musée allemand des Techniques (Deutsches Technikmuseum ; www.dtmb.de ; Trebbiner Strasse 9 ; adulte/tarif réduit 4,50/2,50 € ; 9h-17h30 mar-ven, 10h-18h sam-dim ; U-Bahn Möckernbrücke). Cet immense temple dédié à la technologie renferme notamment le tout premier ordinateur du monde, une salle entière pleine de locomotives anciennes et des expositions très complètes sur l'aviation et la navigation. Au **Centre scientifique Spectrum** (entrée au Möckernstrasse 26 ; compris dans le billet du précédent) voisin, les enfants peuvent participer à plus de 200 expériences interactives.

Carnet pratique

Carnet pratique

Arriver à Berlin

☑ **Bon plan** Pour savoir comment rejoindre votre hébergement, voyez p. 17.

Aéroport de Tegel

➡ Le bus express TXL relie Tegel à l'Alexanderplatz (40 minutes) toutes les 10 minutes. Pour Kurfürstendamm et le Zoologischer Garten, prenez le bus express X9 (20 minutes).

➡ Procurez-vous un billet couvrant les zones A et B (2,30 €).

➡ La station d'U-Bahn la plus proche de l'aéroport est celle de Jakob-Kaiser-Platz (desservie par les bus n°109 et X9).

➡ Un taxi coûte environ 20 € pour le Zoologischer Garten et 23 € pour l'Alexanderplatz (de 30 à 45 minutes).

Aéroport de Schönefeld

➡ Les trains Airport-Express relient l'aéroport au centre de Berlin en 30 minutes deux fois par heure. Il s'agit de trains régionaux réguliers désignés sous l'appellation RE7 et RB14 sur les horaires.

➡ Le S-Bahn S9, qui part toutes les 20 minutes, est plus lent mais commode si vous souhaitez rejoindre Friedrichshain ou Prenzlauer Berg.

➡ Les trains sont à environ 400 m des terminaux. Des navettes gratuites font la liaison toutes les 10 minutes ; si vous préférez marcher, comptez environ 5 minutes.

➡ Procurez-vous un billet couvrant les zones A, B et C (3 €).

➡ La course en taxi coûte environ 40 € et dure de 35 minutes à 1 heure.

Aéroport de Brandenburg

➡ La desserte du nouvel aéroport de Berlin (en construction près de celui de Schönefeld depuis 2006) devrait débuter en 2013. Dès l'ouverture de cet aéroport, les vols à destination de Tegel et du vieil aéroport de Schönefeld devraient s'arrêter.

➡ Les trains Airport-Express partiront de la gare de l'aéroport pour le centre de Berlin toutes les 15 minutes. Il faudra se procurer un billet couvrant les zones A, B et C (3 €).

➡ Pour des informations récentes, consultez le site www.berlin-airport.de.

Gare de Hauptbahnhof

➡ La gare ferroviaire centrale de Berlin est desservie par le bus, le S-Bahn et le U-Bahn.

➡ Des taxis attendent devant l'entrée principale (nord). Le prix moyen d'une course est de 13 € jusqu'à l'Alexanderplatz et de 12 € jusqu'au Zoologischer Garten.

Depuis la France

➡ Berlin et Paris sont reliés par vols réguliers et directs depuis Roissy-Charles-de-Gaulle par **Air France** (☎ 36 54, 0,34 €/min ; www.airfrance.com) et **Lufthansa** (☎ 0892 231 690, 0,34 €/min ; www.lufthansa.com), et depuis Orly par **airberlin** (☎ 0826 96 737 8, 0,15 €/min ; www.airberlin.com). Comptez 200 € pour un aller-retour, moins si vous vous y prenez bien en avance. La durée du vol est approximativement de 1 heure 45.

➡ La compagnie low cost **easyJet** (☎ 0825 08 25 08, 0,12 €/min ; www.easyjet.com) assure également des liaisons directes au départ d'Orly. Comptez une centaine d'euros l'aller-retour si vous vous y prenez suffisamment tôt.

➡ Pas de vols directs depuis la province.

Depuis la Belgique

➡ Les compagnies **Brussels Airlines** (☎ 0902 51 600 ; www.brusselsairlines.com) et **Lufthansa** (☎ 070 35 30 30, 0,34 €/min ; www.lufthansa.com) assurent des liaisons directes quotidiennes. Comptez 200 € pour un aller-retour, moins si vous vous y prenez bien en avance. La durée du vol est approximativement de 1 heure 30.

➡ La compagnie low cost **easyJet** (☎ +33 825 08 25 08 ; www.easyjet.com) assure également une liaison directe quotidienne. Comptez une centaine d'euros l'aller-retour si vous vous y prenez suffisamment tôt.

Depuis la Suisse

➡ Depuis Genève, Berlin est relié directement par **Lufthansa** (☎ 0900 900 933, 0,15 FS/min ; www.lufthansa.com) ou sa filiale, **Swiss** (☎ 0848 700 700 ; www.swiss.com). Comptez 150 € pour un aller-retour, moins si vous vous y prenez bien en avance. La durée du vol est approximativement de 1 heure 35.

➡ La compagnie low cost **easyJet** (☎ 0848 282828, 0,08 FS/min ; www.easyjet.com) assure également des liaisons directes au départ de Genève. Comptez moins d'une centaine d'euros l'aller-retour si vous vous y prenez suffisamment tôt.

➡ Zurich est également reliée sans escale à Berlin par **Lufthansa** ou sa filiale, **Swiss** et par **airberlin** (☎ 0848 737 800, 0,08 FS ; www.airberlin.com). Comptez 200 € pour un aller-retour, moins si vous vous y prenez bien en avance. La durée du vol est approximativement de 1 heure 25.

Comment circuler

U-Bahn

☑ **Idéal pour...** circuler rapidement dans Berlin.

➡ Dans ce guide, les lignes d'U-Bahn sont indiquées U1, U2, etc.

➡ Les rames circulent de 4h à 0h30 environ et toute la nuit le vendredi, le samedi et les jours fériés (sauf les lignes U4 et U55).

➡ Du dimanche au jeudi, des bus nocturnes (N2, N5, etc.) suivent le trajet des U-Bahn de 0h30 à 4h toutes les 30 minutes.

➡ Plus d'informations sur le site www.bvg.de.

S-Bahn

☑ **Idéal pour...** les longues distances dans Berlin.

➡ Les S-Bahn empruntent les lignes principales du U-Bahn et s'arrêtent moins souvent. Désignés par S1, S2, etc., dans ce guide, ils roulent de 4h à 0h30 et toute la nuit le vendredi, le samedi et les jours fériés.

➡ Plus de détails sur le site www.s-bahn-berlin.de.

Bus

☑ **Idéal pour...** faire le tour des monuments sans se ruiner.

➡ Les bus municipaux sont fréquents entre 4h30 et 0h30.

➡ Les bus nocturnes circulent le reste de la nuit, espacés d'environ 30 minutes.

➡ Les MetroBus, marqués M19, M41, etc., circulent 24h/24 tous les jours.

➡ L'itinéraire des bus 100 et 200 passe devant les principaux sites (voir p. 170).

➡ Plus d'informations sur le site www.bvg.de.

Tram

☑ **Idéal pour...** les quartiers non desservis par les autres transports.

Tickets et forfaits

➡ Le réseau de transport public est géré par la BVG. Pour des renseignements, appelez le ☎194 49 (24h/24) ou consultez le site www.bvg.de.

➡ Les billets sont valables dans tous les transports publics. La plupart des trajets dans Berlin nécessitent un billet pour les zones A et B (2,30 €), valable 2 heures (interruptions et correspondances autorisées, pas d'allers-retours). Le billet pour un trajet court (*Kurzstreckenticket* ; 1,40 €) correspond à 3 stations d'U-Bahn ou de S-Bahn ou 6 arrêts de bus ou de tram.

➡ Les enfants de 6 à 14 ans bénéficient d'un tarif réduit (*Ermässigt*), les moins de 6 ans voyagent gratuitement.

➡ Le forfait à la journée (*Tageskarte*) permet d'emprunter à volonté tous les transports publics jusqu'à 3h le lendemain. Son prix pour les zones A et B est de 6,30 €. Le forfait collectif à la journée (*Kleingruppenkarte*) permet à 5 personnes de circuler pour 15 €.

➡ Les billets s'achètent aux automates des stations d'U-Bahn ou de S-Bahn, à bord des trams et des bus, aux guichets des stations et dans les nouveaux kiosques ornés du logo BVG jaune. N'achetez pas de billets aux revendeurs qui monnaient des billets usagers à l'extérieur des stations.

➡ Tous les billets sauf ceux vendus par les chauffeurs de bus doivent être compostés avant de monter à bord. Toute personne contrôlée sans billet valide est redevable d'une amende de 40 € payable sur-le-champ.

➡ Les trams ne circulent que dans les quartiers est.

➡ Ils sont dénommés M1, M2, etc. et circulent 24h/24 tous les jours.

Vélo

☑ **Idéal pour...** sillonner les quartiers.

➡ Beaucoup d'auberges de jeunesse et d'hôtels mettent des vélos à disposition de leurs clients, souvent gratuitement ou à prix modique.

➡ On peut en louer en de multiples endroits : épiceries ouvertes la nuit, boutiques d'habillement, stations-service, boutiques de cycles... Repérez les indications "Rent-A-Bike" ou consultez www.adfc-berlin.de (Cliquez sur "Service", "ADFC Branchenbuch", "Fahrradverleih") pour connaître les adresses.

➡ Le site www.bbbike.de est utile pour établir un itinéraire.

➡ On peut monter avec son vélo à bord des voitures d'U-Bahn et de S-Bahn portant l'indication correspondante (généralement en tête et en queue de train), à condition d'acheter un billet séparé appelé *Fahrradkarte* (billet vélo ; 1,50 €).

➡ Pour les circuits à vélo, voir p. 170.

Taxis

☑ **Idéal pour...** les heures tardives ou les petits groupes.

➡ On peut les héler, les trouver aux stations de taxis ou les réserver au ☎443 322 ou au ☎210 202.

➡ La prise en charge est de 3,20 €. La course coûte 1,65 € le kilomètre jusqu'à 7 km, puis 1,28 € le kilomètre. Lors de la rédaction de guide, une hausse des tarifs était prévue.

➡ Pour un petit trajet jusqu'à 2 km, hélez un taxi et demandez le tarif *Kurzstrecke* avant que le chauffeur n'enclenche le taximètre.

➡ Laissez environ 10% de pourboire.

Infos pratiques

Argent

☑ **À savoir** Les DAB reliés aux réseaux internationaux comme Cirrus, Plus et Maestro sont le meilleur moyen de retirer des espèces. Renseignez-vous sur les commissions et les quotas de retrait auprès de votre banque.

➡ L'Allemagne appartient à la zone euro.

➡ Prévoyez des espèces car les cartes de crédit sont moins utilisées à Berlin que dans d'autres capitales. Renseignez-vous avant tout achat.

Cartes de réduction

☑ **Bon plan** Incontournable pour les amateurs de culture, le Berlin Museum Pass donne accès aux collections permanentes de quelque 70 musées durant trois jours ouvrables consécutifs. En vente 19 € (tarif réduit 9,50 €) dans les offices du tourisme berlinois (p. 179) et dans les musées participants.

➡ **Berlin WelcomeCard** Elle permet d'emprunter à volonté les transports publics et d'obtenir 50% de réduction dans 200 sites, monuments et circuits pendant 2, 3 ou 5 jours. Elle vaut 17 € pour 2 jours et s'achète en ligne sur www.visitberlin.de ou dans

Berlin

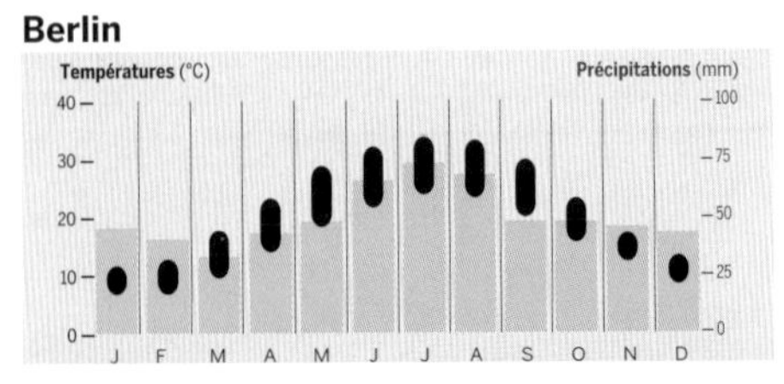

les offices du tourisme de Berlin, les guichets automatiques des stations d'U-Bahn et de S-Bahn, les bureaux de la BVG et de nombreux hôtels.

➡ **CityTourCard** (www.citytourcard.de) Même principe que la Berlin WelcomeCard, à partir de 16 €. Aux guichets automatiques des stations d'U-Bahn et de S-Bahn et aux bureaux de la BVG et du S-Bahn.

Climat

➡ **Hiver (nov-fév)** Froid, sombre, parfois neigeux. Les sites sont plus tranquilles, la saison théâtrale et musicale bat son plein.

➡ **Printemps (mars-mai)** Doux, souvent ensoleillé. C'est le début de l'affluence, des fêtes et festivals. Les *Biergärten* et les cafés en plein air ouvrent leurs portes.

➡ **Été (juin-août)** Chaud, voire très chaud, souvent ensoleillé, parfois orageux. C'est l'apogée de la saison touristique, les sites et musées sont bondés, on vit dehors.

➡ **Automne (sept-oct)** Doux, souvent ensoleillé. Début de la saison théâtrale, musicale et footballistique.

Électricité

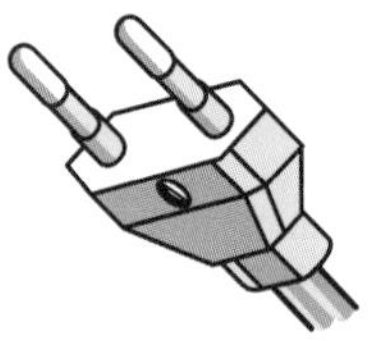

230 V/50 Hz

Handicapés

➡ Beaucoup de lieux publics, notamment les gares ferroviaires, les musées, les salles de concerts et les cinémas sont équipés de rampes d'accès et/ou d'ascenseurs.

➡ La plupart des bus et des trams sont accessibles aux fauteuils roulants et beaucoup de stations d'U-Bahn et de S-Bahn comportent des rampes ou des ascenseurs. La plupart des stations comportent des quais adaptés aux malvoyants.

➡ Pour planifier votre itinéraire, contactez la **BVG** (☎194 19 ; www.bvg.de).

➡ Pour le prêt gratuit ou la réparation de fauteuils roulants, appelez 24h/24 le ☎0180 111 4747.

Heures d'ouverture

☑ **À savoir** Beaucoup de boutiques et de petits commerces n'ouvrent qu'à 12h et ferment vers 18h ou 19h.

Les exceptions aux horaires suivants sont signalées au fil de ce guide :

➡ **Bars** À partir de 18h.

➡ **Commerces** 10h-20h lun-sam

➡ **Discothèques** À partir de 23h ou minuit

➡ **Restaurants** 11h-22h30

Jours fériés

Neujahrstag (Nouvel An) 1er janvier.

Ostern (Pâques ; Vendredi saint, dimanche et lundi de Pâques) Fin mars/début avril

Christi Himmelfahrt (Ascension) Quarante jours après Pâques

Maifeiertag (fête du Travail) 1er mai

Pfingsten (dimanche et lundi de Pentecôte) Mai/juin

Tag der Deutschen Einheit (fête de l'Unité allemande) 3 octobre

Weihnachten (Noël et Saint-Étienne) 25-26 décembre

Offices du tourisme

Visit Berlin (www.visitberlin.de), l'office du tourisme berlinois, dispose de 3 bureaux d'accueil (voir ci-dessous) et d'un **centre d'appels** (☎250 025 ; 🕘9h-19h lun-ven, 10h-18h sam, 10h-14h dim), où un personnel polyglotte peut répondre à des questions générales et effectuer les réservations hôtelières ou de billets. Les horaires d'ouverture peuvent être étendus d'avril à octobre.

Hauptbahnhof (🕘8h-22h ; U-/S-Bahn Hauptbahnhof). Près de la sortie nord de l'Europaplatz.

Neues Kranzler Eck (carte p. 124, E2 ; Kurfürstendamm 22 ; 🕘10h-20h lun-sam, 9h30-18h dim ; U-Bahn Kurfürstendamm)

Porte de Brandebourg (carte p. 30, D3 ; 🕘10h-19h ; U-/S-Bahn Brandenburger Tor). Dans l'aile sud.

Pourboire

➡ Quoique la note des restaurants comprenne presque toujours le *Bedienung* (service), la plupart des clients laissent 5% ou 10% de pourboire, sauf service désastreux.

➡ À l'hôtel, donnez au porteur 1 à 2 € par

Shopping nocturne ou dominical

➡ Commode et typiquement berlinois, le *Spätkauf* (*Späti* en berlinois) est un petit commerce de quartier proposant des articles de base, ouvert du début de soirée jusqu'à 2h ou plus. Ces commerces sont spécialement nombreux dans les secteurs animés et nocturnes.

➡ Certains supermarchés (surtout de la chaîne Kaiser) sont ouverts jusqu'à minuit, quelques-uns toute la nuit.

➡ Les boutiques et supermarchés des grandes gares ferroviaires (Hauptbahnhof, Ostbahnhof, Friedrichstrasse) sont ouverts tard et le dimanche.

➡ Les stations essence proposent aussi de la marchandise, souvent à prix élevé.

bagage ; il est aussi de bon ton de laisser quelque chose aux femmes de chambre.

➡ Laissez 5% aux barmen et 10% aux chauffeurs de taxi.

Téléphone

➡ La plupart des téléphones publics fonctionnent avec des cartes téléphoniques vendues dans les épiceries, les postes et les offices du tourisme.

➡ L'indicatif pour Berlin est le ☎030 ; celui de l'Allemagne est le ☎49.

➡ Les téléphones portables fonctionnent via le réseau GSM 900/1800. Si vous venez d'un pays utilisant un autre réseau, procurez-vous un appareil GSM multibande.

➡ Il peut être plus économique d'acheter une carte SIM allemande prépayée (dans les supermarchés Netto, Lidl ou Aldi).

Toilettes

☑ **À savoir** Les messieurs peuvent se soulager dans les pissotières octogonales peintes en vert foncé, vestiges du XIXe siècle.

➡ On trouve des toilettes publiques payantes un peu partout dans le centre de Berlin.

➡ Dans les centres commerciaux, grands magasins, lieux publics, cafés et restaurants, les toilettes sont souvent tenues par des préposés qui demandent une petite participation (environ 0,50 €) ou un pourboire.

Urgences

Ambulances ☎110
Police ☎110
Pompiers ☎112

Visas

➡ La plupart des ressortissants de l'UE doivent seulement posséder une carte nationale d'identité ou un passeport valide pour entrer en Allemagne, y séjourner ou y travailler.

➡ Les citoyens du Canada, entre autres, n'ont besoin que d'un passeport en cours de validité (sans visa) pour les séjours touristiques jusqu'à 3 mois.

➡ Les ressortissants des autres pays doivent obtenir un visa Schengen auprès du consulat du premier pays membre qu'ils comptent visiter. Pour plus de renseignements, consultez www.auswaertiges-amt.de ou adressez-vous à un consulat allemand dans votre pays.

Pas d'impairs

➡ Dites "*Guten Tag*" en entrant chez un commerçant.

➡ Précisez votre nom de famille au début d'un appel téléphonique.

➡ Apportez un cadeau ou des fleurs si vous êtes invité à un repas.

➡ N'arrivez pas en retard à un rendez-vous ou à un dîner.

➡ Évitez de parler de la Seconde Guerre mondiale.

➡ Ne vous déplacez pas sans espèces, surtout si vous allez au restaurant.

Hébergement

Berlin compte plus de lits que New York. Les hébergements s'y livrent une concurrence féroce et les tarifs sont moins élevés que dans les autres capitales. Pour éviter les longs trajets, préférez les hôtels desservis par le S-Bahn.

Mitte est le quartier le plus central. À Kurfürstendamm les hôtels sont nombreux et proches des secteurs commerçants, mais il faut prendre l'U-Bahn pour rejoindre la plupart des sites touristiques et des lieux de sortie. Kreuzberg et Friedrichshain sont des quartiers idéals pour être proche des bars et discothèques.

Berlin compte des auberges de jeunesse animées où une nuit en dortoir ne coûte parfois que 9 €. L'autre grande mode est celle des hôtels design bon marché, dotés d'intérieurs chics mais au service minimal. Les B&B à l'ancienne, appelés Hotel-Pension ou simplement Pension, sont nombreux dans les quartiers ouest, surtout à Kurfürstendamm. Les appartements meublés sont une solution prisée pour éviter l'hôtel.

Les prix des chambres varient peu selon les saisons mais grimpent lors des grandes foires commerciales, des fêtes et des jours fériés. Il est toujours bon de réserver.

Beaucoup d'établissements proposent des chambres, voire des étages entiers non-fumeurs.

Petits budgets

La plupart des adresses pour les voyageurs à petit budget à Berlin sont des auberges de jeunesses (voir l'encadré p. 182)

Motel One Berlin-Alexanderplatz

2005 4080 ; www.motel-one.de ; Dirksenstrasse 36 ; d 69-84, petit-déj 7,50 € ; P ; U-Bahn Alexanderplatz

Les chambres sont un peu petites mais dotées d'équipements ultramodernes dignes d'établissements plus chics.

Agences de réservation

- **Visit Berlin** (www.visitberlin.de). L'office du tourisme officiel dispose d'un service de réservation.
- **Go Mio** (www.gomio.com). Réservations hôtelières sans commission.
- **HRS** (www.hrs.com). Site généraliste, particulièrement intéressant pour les démarques de dernière minute.
- **Booking.com** (www.booking.com). Site généraliste proposant souvent des offres promotionnelles.

Auberges de jeunesse

Résolument dans l'air du temps, les auberges de jeunesse répondent aux attentes d'une clientèle active et branchée, en escapade pour le week-end. Elles sont, depuis peu, en concurrence avec des hôtels design petit budget, mais certaines ont trouvé la parade en proposant des chambres relookées.

CityStay Hostel

2362 4031 ; www.citystay.de ; Rosenstrasse 16 ; dort 17-21 €, s/d avec sdb 55/64 €, draps 2,50 € ; @ ; U-Bahn Alexanderplatz

Installée dans un grand magasin datant de 1896 et restauré il y a peu, elle est propre, bien équipée et située dans une rue tranquille à deux pas du quartier animé de Scheunenviertel.

Wombat's city Hostel Berlin

8471 0820 ; www.wombats-hostels.com ; Alte Schönhauser Strasse 2 ; dort 12-25 €, d 29-35 €, app cuisine 40-45 €, petit-déj 3,70 € ; @ ; U-Bahn Rosa-Luxemburg-Platz

Dans cette auberge, aucun détail n'a été négligé : casiers pour les sacs à dos, lampes de lecture individuelles, lave-vaisselle dans la cuisine. Les chambres sont spacieuses, les draps gratuits et un cocktail de bienvenue vous est offert !

36 Rooms Hostel

5308 6398 ; www.36rooms.com ; Spreewaldplatz 8 ; dort 14-20 €, s 35-38 €, d 25-28 €, draps 2,50 € ; @ ; U-Bahn Görlitzer Bahnof

Une charmante et confortable maison du XIXe. Posée au cœur du quartier de Kreuzberg, elle voisine avec des bars et cafés, un parc public et une piscine.

Ostel

2576 8660 ; www.ostel.eu ; Wriezener Karree 5 ; dort/d/app 9/61/120 € ; P @ ; U-Bahn Ostbahnhof

Retrouvez le lieu de tournage de *Good Bye Lenin* ! Cet établissement ressuscite le "charme" socialiste de l'Allemagne de l'Est ! Et que les fêtards se réjouissent : l'Ostel est proche de nombreux lieux de sortie.

Berliner Bed&Breakfast

2437 3962 ; www.berliner-bed-and-breakfast.de ; Langenscheidtstrasse 5 ; d sans sdb 55 € ; U-Bahn Kleistpark

Ce bâtiment datant de 1895 offre 6 grandes chambres décorées sur un thème différent. Le petit-déjeuner (compris) est à préparer soi-même à n'importe quelle heure.

Lette'm Sleep

☎4473 3623 ; www.backpackers.de ; Lettestrasse 7 ; dort 17-22 €, lits jum sans sdb 40-49 €, app avec sdb 69 € ; 🚭@📶 ; U-Bahn Eberswalder Strasse

Auberge de jeunesse bohème, simple et accueillante. Située sur la très branchée Helmholtzplatz, elle est idéale pour découvrir la trépidante vie nocturne qui s'y déploie.

Circus Hostel

☎2000 3939 ; www.circus-berlin.de ; Weinbergsweg 1a ; dort 19-38 €, s/d avec sdb commune 43-65/28-85 €, s/d avec sdb privée 53-80/70-105 €, app 2/4 pers 85-130/140-210 €, petit-déj 2,50-5 € ; 🚭@📶 ; U-Bahn Rosa-Luxemburg-Platz

Mention spéciale pour cette auberge du centre-ville au service impeccable. Les chambres et les dortoirs sont propres, joliment décorés et pourvus de lits en pin avec lampes de lecture individuelles. Grand comptoir ovale dans le café-bar-réception et *Wohnzimmer* ("salon"), doté d'un billard.

East Seven Hostel

☎936 222 40 ; www.eastseven.de ; Schwedter Strasse 7 ; dort 13-21 €, s 31-38 €, d 42-50 € ; 🚭@📶 ; U-Bahn Senefelder Platz

Cette auberge de jeunesse familiale, chaleureuse et agréable, est bien située, à proximité de nombreux bars, cafés, restaurants, et même de l'U-Bahn. Dortoirs et chambres aux couleurs vives dotés de lits en pin. Cuisine avec lave-vaisselle, salon rétro et jardin idyllique.

Meininger City Hostel & Hotel

☎6663 6100 ; www.meininger-hostels.de ; Schönhauser Allee 19 ; dort 18-21 €, s/d/tr 52/68/102 €, petit-déj 5,50 € ; 🚭@📶 ; U-Bahn Senefelder Platz

Établissement phare de la chaîne Meininger, qui compte 5 autres adresses à Berlin. Les chambres et les dortoirs sont spacieux. Style contemporain et mobilier de qualité, avec TV à écran plat et stores électriques. À proximité des restos et bars branchés du quartier.

Gästehaus Euroflat

☎6003 1532 ; berlin-rooms.eu ; Alexandrinenstrass 118 ; s 40-50 €, d 50-60 € ; 🚭@📶 ; U-Bahn Hallesches Tor

Cette pension est rattachée à une ancienne église. Beau jardin et terrasse sur le toit accessible. Cuisine à disposition. Près du Musée juif.

Catégorie moyenne

Amano Hotel

809 4150 ; www.hotel-amano.com ; Auguststrasse 43 ; ch à partir de 79 €, petit-déj 11 € ; ; U-Bahn Rosenthaler Platz

Hôtel design bon marché et très central à Scheunenviertel, doté d'un bar superbe.

Michelberger Hotel

2977 8590 ; www.michelbergerhotel.com ; Warschauer Strasse 39/40 ; d à partir de 60 €, petit-déj 8 € ; U-Bahn Warschauer Strasse

La déco est originale et l'organisation des espaces excentrique. Près de l'East Side Gallery.

Hotel Greifswald

442 7888 ; www.hotel-greifswald.de ; Greifswald Strasse 211 ; d 65-75 €, petit-déj 7,50 € ; ; M4 arrêt Hufelandstrass

Cette adresse de Prenzlauer Berg est en retrait de la rue, au calme. Chambres un peu neutres mais jolies quand même.

Hotel Otto

5471 0080 ; www.hotelotto.com ; Knesebeckstrasse 10 ; d 100-200 €, petit-déj 13 € ; ; U-Bahn Ernst Reuter Platz

Un personnel extraordinaire, des petits-déjeuners exceptionnels et des en-cas offerts l'après-midi. Près du Kurfürstendamm.

Catégorie supérieure

Hotel Honigmond

284 4550 ; www.honigmond-berlin.de ; Tieckstrasse 12 ; d avec petit-déj 145-235 € ; ; U-Bahn Oranienburger Tor

Les touches historiques abondent dans ce charmant et élégant hôtel de Scheunenviertel.

Hotel de Rome

460 6090 ; www.hotelderome.com ; Behrensstrasse 37 ; d à partir de 215 € ; ; U-BahnHausvogteiplatz

Le designer Tommaso Ziffer a transformé cet ancien siège de banque en un luxueux palace, créant une délicieuse alchimie entre splendeur du passé et raffinement moderne.

Casa Camper

2000 3410 ; www.casacamper.com ; Weinmeisterstrasse 1 ; ch/ste 185/335 € ; ; U-Bahn-Weinmeisterstrasse

Design soigné, salles de bains lumineuses, petit-déjeuner et rafraîchissements offerts dans le lounge. À Scheunenviertel.

Appartements

Brilliant Apartments (www.brilliant-apartments.de). Sept appartements élégants dotés de vraies cuisines, à Prenzlauer Berg.

T&C Apartments (www.tc-apartments-berlin.de). Appartements joliment décorés et bien tenus à Prenzlauer Berg, Mitte et Schöneberg.

All Berlin Apartments (www.all-berlin-apartments.com). Vaste choix d'appartements bien équipés et bon marché dans plusieurs quartiers.

Be My Guest (www.be-my-guest.com). Appartements répartis dans Berlin.

Miniloft Berlin (www.miniloft.com). Huit lofts avec mobilier design et kitchenettes, dans le nord de Scheunenviertel.

Langue

Pour vous faire comprendre en allemand, suivez nos conseils de prononciation. En allemand, la plupart des mots sont accentués sur la première syllabe (en italique dans les phrases suivantes).

L'Allemand connaît le tutoiement et le vouvoiement (*du* et *Sie* respectivement). Nos phrases utilisent le vouvoiement sauf dans certains cas où les deux formes sont indiquées (pol/inf). Le masculin et le féminin sont également distincts et indiqués (m/f).

Un guide de conversation allemand très développé existe aux éditions Lonely Planet.

Phrases-clés

Bonjour.
Guten Tag. — *gou*·tenn taak

Au revoir.
Auf Wiedersehen. — aof *vi*·deur·zé·enn

Comment allez-vous/vas-tu ? (pol/inf)
Wie geht es Ihnen/dir? — vi gait èss *i*·nen/dir

Bien, merci.
Danke, gut. — *dang*·ke goute

S'il vous/te plaît.
Bitte. — *bi*·te

Merci.
Danke. — *dang*·ke

Pardon.
Entschuldigung. — ènnt·*shoul*·di·gounk

Oui./Non.
Ja./Nein. — ya/naïn

Parlez-vous anglais/français ?
Sprechen Sie Englisch/Französich? — *chpré*·khen zi *inng*·lich /*frann*·zeu·zich

Je (ne) comprends (pas).
Ich verstehe (nicht). — ich feur·*chtè*·eu (nicht)

Se restaurer et prendre un verre

Je suis végétarien/végétarienne.
Ich bin Vegetarier/Vegetarierin. — ich binn vé·gué·*tah*·ri·eur/ vé·gué·*tah*·rine

Santé !
Prost! — prost

C'était délicieux !
Das war sehr lecker! — dass vahr zair *lé*·keur

L'addition, s'il vous plaît.
Die Rechnung, bitte. — di *rekh*·nunk *bi*·te

Je voudrais...
Ich möchte ... — ich *meuch*·te ...

un café	*einen Kaffee*	*aï*·nen *ka*·fè
un verre de vin	*ein Glas Wein*	aïn glass vaïn
une table pour deux	*einen Tisch für zwei Personen*	*aï*·nen tich für tsvaï per·*zo*·nen
deux bières	*zwei Bier*	tsvaï bir

Shopping

Je voudrais acheter ...
Ich möchte... kaufen. — ich *meuch*·te... *kao*·fen

Puis-je le regarder ?
Können Sie es mir zeigen? — *keu*·nenn zi es mir *tsaï*·guen

Combien ça fait ?
Wie viel kostet das? vi fil *koss*·tet dass

C'est trop cher.
Das ist zu teuer. dass isst tssou *toï*·er

Pouvez-vous baisser le prix ?
Können Sie mit dem Preis heruntergehen? *keu*·nen zi mit dem praïss he·*run*·ter·ghé·en

Il y a une erreur dans la note.
Da ist ein Fehler in der Rechnung. da isst aïn *fè*·ler in dèr *rekh*·nounk

Urgences

À l'aide !
Hilfe! *hil*·fe

Appelez un médecin !
Rufen Sie einen Arzt! *rou*·fenn zi *aï*·nen artst

Appelez la police !
Rufen Sie die Polizei! *rou*·fen zi di po·li·*tsaï*

Je suis perdu.
Ich habe mich verirrt. ikh *hah*·be mikh feur·*irt*

Je suis malade.
Ich bin krank. ich binn krank

Où sont les toilettes ?
Wo ist die Toilette? vo isst di toi·*let*·te

Heure et nombres

Quelle heure est-il ?
Wie spät ist es? Vi chpait ist es

Il est (10) heures.
Es ist (zehn) Uhr. es ist (tsainn) our

matin	*Morgen*	*mor*·guen
après-midi	*Nach-mittag*	*nahkh*·mit·tak
soir	*Abend*	*a*·bent
hier	*gestern*	*ges*·terne
aujourd'hui	*heute*	*hoï*·teu
demain	*morgen*	*mor*·guen

1	*eins*	aïns
2	*zwei*	tsvaï
3	*drei*	*draï*
4	*vier*	fir
5	*fünf*	funnf
6	*sechs*	zekhs
7	*sieben*	zi·benn
8	*acht*	akht
9	*neun*	noïn
10	*zehn*	tsèn
100	*hundert*	*hounn*·dert
1000	*tausend*	*toï*·sent

Transports et orientation

Où est... ?
Wo ist ...? Vo isst ...

Quelle est l'adresse ?
Wie ist die Adresse? vi isst di a·*dres*·se

Pouvez-vous me montrer (sur la carte) ?
Können Sie es mir (auf der Karte) zeigen? *keu*·nen zi es mir (aof dair *kar*·teu) *tsaï*·guen

Je veux aller...
Ich mochte nach ... fahren. ich *meuch*·teu nahkh ... *fah*·renn

À quelle heure part-il ?
Wann fährt es ab? vann fairt es ap

À quelle heure arrive-t-il ?
Wann kommt es an? vann komt es ane

S'arrête-t-il à... ?
Hält es in ...? hèlt es inn ...

Je veux descendre ici.
Ich mochte hier aussteigen. ich *meuch*·te hir *aoss*·chtaï·guen

Index

Voir aussi les index des rubriques :

Se restaurer p. 189

Prendre un verre p. 190

Sortir p. 190

Shopping p. 190

Références des **sites**
Références des **cartes**

Se restaurer

Prendre un verre

Sortir

Shopping

En coulisses

Vos réactions ?

Vos commentaires nous sont très précieux pour améliorer nos guides. Notre équipe lit vos lettres avec la plus grande attention et prend en compte vos remarques pour les prochaines mises à jour. Pour nous faire part de vos réactions, consultez notre site web : **www.lonelyplanet.fr**

Nous reprenons parfois des extraits de notre courrier pour les publier dans nos guides ou sites web. Si vous ne souhaitez pas que vos commentaires soient repris ou que votre nom apparaisse, merci de nous le préciser. Pour connaître notre politique en matière de confidentialité, connectez-vous à : www.lonelyplanet.fr/confidentialite/index.cfm

À nos lecteurs

Un grand merci aux voyageurs qui, ayant utilisé l'édition précédente, nous ont écrit pour nous communiquer des détails éclairants, des conseils utiles ou des anecdotes intéressantes :

Laurent Albarede, Noelle Batique, Anouck Besse, Maciek Czepiel, Olivier Daroux, S. Dauriac, Guillaume Deroost, Blandine Gaudé, Jean-Philippe Guillerme, Laure Hamann, Enora Le Gall, Albertine de Montmollin, Henri Page, C. Roche, Alain Salanon

Un mot de l'auteur

Un grand merci à mes amis allemands qui ont partagé leurs avis et leurs conseils d'initiés, tout particulièrement Henrik Tidefjärd, Miriam Bers, Nicole Röbel, Frank Engster, Julia Schoon et Ron Wilson. Chapeau à toute l'équipe Lonely Planet qui a produit ce livre épatant.

Crédits photographiques

Photographie de couverture : La porte de Brandebourg, Gunter Grafenhain/4Corners. La plupart des photos publiées dans ce guide sont disponibles auprès de l'agence photographique Lonely Planet Images : www.lonelyplanetimages.com

À propos de cet ouvrage

Cette 3e édition française de *Berlin En quelques jours* est la traduction-adaptation de la 3e édition du guide *Pocket Berlin*, rédigé, comme les deux précédentes, par Andrea Schulte-Peevers. Ce livre a été édité par le bureau de Londres de Lonely Planet.

Traduction Nadège Moulineau et Florence Guillemat-Szarvas **Direction éditoriale** Didier Férat **Coordination éditoriale** Dominique Bovet **Responsable prépresse** Jean-Noël Doan **Maquette** Valérie Police **Cartographie** Cartes originales adaptées en français par Caroline Sahanouk **Couverture** Adaptée en français par Annabelle Henry

Merci à Françoise Blondel pour sa relecture attentive du texte.

L'auteur

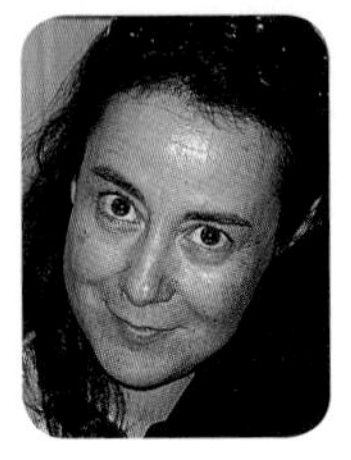

Andrea Schulte-Peevers

Andrea a parcouru l'équivalent de deux fois la distance de la Terre à la Lune au cours de ses voyages à travers 65 pays. Sa fascination pour Berlin remonte à son premier séjour durant l'été 1989, quelques mois à peine avant la chute du Mur. Née et élevée en Allemagne, elle a étudié à Londres et à l'UCLA (Los Angeles). Depuis vingt ans, elle écrit des ouvrages sur son pays natal. Elle a signé ou cosigné plus de 50 guides Lonely Planet, notamment les deux premières éditions de *Berlin En quelques jours* et toutes les éditions du guide *Berlin*. Après avoir vécu plusieurs années à Los Angeles, Andrea a finalement élu domicile dans un bel appartement berlinois.

Berlin en quelques jours
3e édition
Traduit et adapté de l'ouvrage *Berlin Pocket, 3rd edition, May 2012*

Dépôt légal Septembre 2012
ISBN 978-2-81612-126-1
Imprimé par L.E.G.O. Spa (Legatoria Editoriale Giovanni Olivotto), Italie
Réimpression 02, janvier 2014

En Voyage Éditions | un département